L'EUROPE

nouvelle édition

Éditions La Découverte

Si vous désirez être tenu régulièrement informé de nos paru-
tions, il vous suffit d'envoyer vos nom et adresse aux Editions
La Découverte, 1, place Paul-Painlevé, 75005 Paris. Vous recevrez
gratuitement notre bulletin trimestriel **A la Découverte**.

En application de la loi du 11 mars 1957, il est interdit de repro-
duire intégralement ou partiellement, par photocopie ou tout autre
moyen, le présent ouvrage sans autorisation de l'éditeur ou du Centre
français du copyright (6 *bis*, rue Gabriel-Laumain, 75010 Paris).

© Éditions La Découverte, Paris, 1985, 1990, 1992.
ISBN 2-7071-1564-9

Introduction

L'achèvement du « Grand Marché intérieur » à l'horizon 1993, les travaux et colloques multiples qu'il suscite, les débats et polémiques intenses sur le caractère mythique ou non de l'espoir d'unification économique européenne sont autant d'éléments qui font aujourd'hui de l'Europe une mode intellectuelle qui agite largement les esprits, excessivement sans doute.

La signature du traité de Rome, en 1957, pouvait donner à penser qu'une puissante volonté politique allait permettre de réaliser la vieille ambition hugolienne des États-Unis d'Europe. On serait aujourd'hui plus enclin à évoquer Paul Valéry qui écrivait : « Je n'aime rien tant que ce qui va se produire. »

Faire l'Europe. La construire par des traités, par des institutions, par l'unification politique, économique et sociale de l'espace européen, par la définition et la pratique de politiques communes. Partir d'un « noyau dur » déjà existant (l'union franco-allemande du traité CECA), y associer d'emblée des partenaires fermement résolus à réaliser l'intégration (l'Europe des Six), puis, au vu des résultats encourageants de cet embryon, réunir les autres États et constituer ainsi la grande Europe : un tel dessein exigeait des choix politiques et des sacrifices nationaux.

1985, avec la publication du *Livre blanc* sur le Grand Marché intérieur, et 1986, avec la signature de l'Acte unique européen, sont sans aucun doute des dates clés dans le processus de la construction européenne : la première, parce qu'elle représente à la fois la prise de conscience de l'inachèvement du Marché commun des biens et des services et la nécessité d'étendre la libre circulation aux facteurs de production ; la seconde, parce qu'elle semble traduire une volonté politique de se donner les moyens de réaliser l'unification à l'aide d'une règle décisionnelle majoritaire qui exclut *a priori* toute forme de veto national. Dans ce cadre général, la réflexion et les avancées concrètes se sont ultérieurement multipliées.

Ainsi, quant au mode de mise en concurrence sur le Marché unique, l'abandon réaliste de la recherche de l'harmonisation maximale conduit à définir les règles du jeu du principe de reconnaissance mutuelle des législations et des réglementations nationales sous contrainte d'une simple harmonisation minimale. De même, quant à la nécessité de dépasser la mise en œuvre d'un simple accord de change, le SME, afin de doter l'ensemble européen d'une organisation monétaire qui, outre son rôle d'ancrage et d'homogénéisation au niveau de la formation des prix, assure une représentation institutionnelle unique vis-à-vis des partenaires extérieurs tout en préservant la symétrie interne des avantages et des contraintes pour les États membres. Enfin, quant à la substitution progressive des prérogatives communautaires aux prérogatives nationales en matière d'actions visant à accroître le degré de cohésion économique et sociale, à travers l'engagement d'un doublement des dotations accordées aux fonds structurels de la Communauté.

Le recensement des progrès effectués dans tous les domaines au cours des dernières années serait décidément fastidieux à établir. Mais il montrerait que toutes les dimensions de l'intervention publique ainsi que la majorité des comportements microéconomiques et sociaux sont concernés : transferts de compétence monétaire et marche « à petits pas » vers l'institution d'une banque centrale européenne, harmonisation fiscale et définition de règles communes de conduite en matière d'équilibre budgétaire, accords de coopération industrielle et scientifique dans les secteurs de pointe de l'industrie et des services, par exemple.

Au total, et en dépit de l'application du principe de subsidiarité qui énonce que les décisions de niveau européen ne sont que celles qui ne peuvent être prises à un niveau inférieur, le processus engagé est sans conteste celui de l'Union économique et monétaire. Toutefois, et comme à l'habitude dans les procédures d'unification, les transferts de souveraineté les plus stratégiques de même que les harmonisations les plus délicates ont été repoussés jusqu'à l'extrême. Autrement dit, jusqu'au moment où il apparaît que les institutions politiques de l'Europe, dans leur configuration actuelle, ne permettent pas d'imposer le saut qualitatif absolument nécessaire pour mener à bien le projet. Si l'Europe que l'on désire (celle de l'Union économique et monétaire) n'est pas celle que l'on a (celle du Marché commun), cela signifie que les traités d'Union, adoptés à Maastricht, représentent bien plus que de simples amendements au traité de Rome, qui a porté tous les efforts jusqu'à présent. En d'autres termes, l'Union politique apparaît aujourd'hui comme la condition *sine qua non* de toute avancée ultérieure décisive de l'Union économique et monétaire.

Tel est l'enjeu crucial de la décennie quatre-vingt-dix. Il implique de savoir si les partenaires européens sont ou ne sont pas décidés, au moins sur le principe, à aller au-delà des structures et des compétences européennes actuelles, c'est-à-dire à donner vie à l'Europe politique. C'est bien en réalité la substitution de fait, et à terme, d'un principe fédéral à une organisation caractérisée par un exécutif exclusivement intergouvernemental et un législatif privé de ses pouvoirs les plus fondamentaux qui est en cause.

Le débat sur la convergence des performances économiques représente sans doute un bon exemple des difficultés d'appréciation des situations nationales respectives et des conséquences que l'on peut en tirer en matière de progrès de l'intégration. Or, ce débat est fondamental parce qu'il conditionne directement celui relatif à la convergence des politiques économiques, règle d'or de la marche vers l'Union économique et monétaire, et, en dernier lieu, la question de l'Union politique.

Les responsabilités prises au sommet de Maastricht sont essentielles : au-delà des marchandages et de la défense des intérêts nationaux et des protectionnismes inavoués, elles concernent la construction d'un espace homogène où les relations de symétrie doivent absolument l'emporter sur les phénomènes de hiérarchie et de dépendance. C'est en ces termes que la rédaction des nouveaux traités, acte éminemment politique et très accessoirement technique, apparaît comme l'élément clé de la dynamique d'une coopération internationale tant éprouvée aujourd'hui par les ruptures et les conflits latents.

Car, en dépit du vieillissement de sa population, des difficultés budgétaires, l'Europe des États membres de la CEE est un ensemble géographique, humain et économique dont le poids dans l'économie mondiale est décisif. Même si, dans la crise, les enchaînements conjoncturels vertueux entre les nations se sont dégradés, les liaisons financières et commerciales demeurent et sont autant de facteurs favorables à l'intégration. Enfin, si l'effet des politiques communes sur le développement de l'ensemble communautaire paraît faible, surtout si on le compare aux défis que la Communauté doit aujourd'hui relever, il est néanmoins positif. Ces politiques ont sensibilisé les Européens au nécessaire dépassement du cadre national d'activité.

Cet ouvrage n'a pas l'ambition de présenter de manière exhaustive les multiples aspects de la construction européenne, les incidences de celle-ci sur chacun des États membres ou la position de l'Europe dans le monde. C'est une démarche que nous entendons présenter. Elle consiste à cerner les domaines essentiels : l'institutionnel et le budgétaire, l'économique et le financier, le stratégique, que le politique appréhende traditionnellement en les isolant. Or, ils sont étroitement liés et c'est en les réunissant qu'il est possible de comprendre les progrès, les limites et les blocages de l'ensemble communautaire.

LE POIDS DES DOUZE

	B	DK	D	GR	E	F	IRL	I	L	NL	P	UK	EUR12
Superficie 1000 kilomètres carrés 1990	31	43	357	132	505	544	69	301	3	41	92	244	2362
Population millions d'habitants 1.1.1991 (1)	10	5,1	79,7	10,2	39	56,5	3,5	57,7	0,4	15	10,4	57,5	345
PIB 1991 (1) en milliards de SPA (3)	205	109	1430 (2)	105	613	1223	40	1187	10	307	110	1156	6495
Voix au Conseil	5	3	10	5	8	10	3	10	2	5	5	10	

1. Prévisions.
2. Sans l'ex-RDA.
3. SPA standard de pouvoir d'achat, unité de mesure de pouvoir d'achat. 1 SPA = 0,779 Écu = 33,23 BFR = 5,54 FF = 31,81 F Lux.

I / Coopération ou intégration en Europe ?

Aussi loin que l'on remonte dans les projets de construction européenne, le débat coopération/intégration a toujours agité leurs auteurs. Faut-il réaliser l'union de l'Europe à partir d'un rapprochement entre les États qui ne remettrait pas en cause leur souveraineté, ou bien doit-on instaurer une autorité commune supranationale qui pourrait imposer ses vues aux différentes parties de l'union ? Dans l'histoire de l'idée européenne, c'est souvent la seconde solution qui a eu la préférence des écrivains, poètes et philosophes. Déjà en 1306, Dante, dans *La Divine Comédie*, considère que le seul moyen de construire l'Europe est d'avoir un empereur au-dessus des autres souverains ; ce faisant, il ne fait que traduire le rêve du Moyen Age qui est la reconstitution de l'unité un moment réalisée par Charlemagne. Les utopies les plus célèbres des XVIIᵉ et XVIIIᵉ siècles vont également dans le sens de l'intégration. Ce sont les projets d'organisation européenne de Sully (1620 à 1635), de l'abbé de Saint-Pierre (1713 à 1717) et surtout le *projet de paix perpétuelle* d'Emmanuel Kant (1795). Napoléon, « souverain d'Europe », a peut-être réalisé ces rêves d'unification, mais il l'a fait par la conquête et contre la volonté des peuples européens eux-mêmes.

L'effondrement de l'Empire marque en tout cas la fin des tentatives d'intégration pour longtemps. Le XIXᵉ siècle, siècle des nationalismes, n'est guère favorable à l'idée d'union de l'Europe, ce qui n'empêche pas les écrivains de s'y intéresser avec autant d'intensité (voir encadré). La « petite

LES IDÉES SUR L'EUROPE AU XIXᵉ SIÈCLE [1]*

- *Le plan de Saint-Simon* (1814) : la construction de l'Europe doit se faire autour d'une alliance entre la France et l'Angleterre, pays autour desquels viendront se grouper les autres peuples au fur et à mesure de leur libération et de leur accession à des institutions représentatives. Il propose que la France et l'Angleterre forment un « grand Parlement » composé d'une chambre haute (pairs héréditaires) et d'une chambre basse (représentants élus des corporations). À la tête de l'Europe, il place un roi « chef scientifique et politique » et prévoit le prélèvement d'un impôt.

- *Mazzini* : républicain italien exilé à Marseille, il crée en 1831 le mouvement « Jeune Italie » et écrit dans le manifeste qui accompagnera cette création que « la constitution des unités nationales est le présage de la grande fédération européenne qui doit unir dans une seule association toutes les familles de l'ancien monde. La fédération des peuples libres effacera les divisions des États, voulues, fomentées par des despotes, et ainsi disparaîtront les rivalités de races et se consolideront les nationalités telles que le veulent le droit et les besoins locaux ». Mazzini fonde en 1834 le mouvement « Jeune Europe ».

- *Victor Hugo* : préside le 21 août 1848, à Paris, le Congrès de la paix et propose l'union de l'Europe fondée sur le suffrage universel. « Un jour viendra où, vous France, vous Russie, vous Italie, vous Angleterre, vous Allemagne, vous toutes nations du continent, sans perdre vos qualités distinctes et votre glorieuse individualité, vous vous fondrez dans une unité supérieure et vous constituerez la fraternité européenne... Un jour viendra où les boulets seront remplacés par les votes, par le suffrage universel des peuples, par le véritable arbitrage d'un sénat souverain qui sera à l'Europe ce que le Parlement est à l'Angleterre, ce que la Diète est à l'Allemagne et ce que l'Assemblée législative est à la France. » Par la suite, il réclamera la constitution des États-Unis d'Europe.

- *Proudhon* : *Du principe fédératif* (1863) ; *De la capacité juridique des classes ouvrières* (1865). Pour lui, l'union de l'Europe passe par la constitution d'une fédération qui doit être d'abord réalisée dans le cadre géographique de l'État et qui seule permet de libérer les individus de l'étatisme. L'Europe doit être une « fédération de fédérations ».

---

* Les chiffres entre crochets renvoient à la bibliographie située en fin d'ouvrage.

phrase » de Victor Hugo sur les « États-Unis d'Europe » est restée célèbre... L'expression fera fortune puisqu'elle sera reprise par Aristide Briand en 1929 dans un discours devant la Société des Nations et par Winston Churchill en 1946. Mais la réalité politique restait alors fort éloignée des constructions intellectuelles.

La guerre de 1870 se termine par la constitution des États européens en deux alliances rivales qui portent en elles les germes de nouveaux affrontements sanglants. Les deux guerres mondiales ne font que confirmer et accroître la division de l'Europe. L'idée d'intégration ne fait sa réapparition qu'après le second conflit mondial : la construction européenne est alors considérée comme le seul moyen d'éviter un nouvel affrontement. C'est la signification profonde du congrès des fédéralistes européens qui se tient à La Haye du 7 au 10 mai 1948, dont les conclusions vont dans le sens d'une Europe intégrée. Pourtant les pays n'étaient pas encore préparés à une telle évolution.

À cette époque, le choix se porte sans hésitation sur la coopération, c'est-à-dire la création d'organisations internationales classiques dans lesquelles les États sont représentés à égalité, ce qui permet de sauvegarder leurs intérêts réciproques. Les projets d'intégration qui suscitent de la part des États certains sacrifices et certains abandons de souveraineté au profit des organes dirigeants des organisations internationales mises en place ne seront formulés que dans les années cinquante pour aboutir à la création de la *Communauté économique du charbon et de l'acier* (traité CECA du 18 avril 1951), de *la Communauté économique européenne* et de l'*Euratom* (traité CEE et CEEA du 25 mars 1957). Encore cette intégration ne correspond-elle pas exactement aux vœux des partisans de la supranationalité, d'autant plus que, à partir des années soixante-dix, la Communauté a connu une crise grave dont les aspects sont multiples (crise économique, financière et institutionnelle) ; les institutions sont bloquées et incapables de prendre des décisions ; le Marché commun n'existe pas : de nombreux obstacles sont maintenus aux frontières tant pour les personnes que pour les marchandises. Aussi, à partir de 1985, va-t-on assister à une tentative de relance de l'intégration, d'abord à travers l'Acte unique européen signé les 17 et 28 février 1986, qui a pour objectif

LES GRANDES DATES
DE LA CONSTRUCTION EUROPÉENNE

- *9 mai 1950:* discours de Robert Schuman : propose de placer les productions française et allemande de charbon et d'acier sous une autorité commune.
- *18 avril 1951:* signature à Paris du traité instituant la Communauté européenne du charbon et de l'acier (CECA).
- *25 mars 1957:* signature à Rome des traités CEEA (Communauté européenne de l'énergie atomique) et CEE (Communauté économique européenne).
- *30 janvier 1962:* entrée en vigueur des premiers règlements sur la politique agricole commune (PAC) ; création du FEOGA (Fonds européen d'orientation et de garantie agricole).
- *8 avril 1965:* traité de fusion des exécutifs des trois Communautés (Conseil des ministres et Commission).
- *30 janvier 1966:* compromis de Luxembourg, qui met fin à la crise ouverte par la France en juin 1965 (politique de la chaise vide) et qui impose l'unanimité pour les décisions importantes.
- *16 juillet 1968:* élimination totale des droits de douane entre les Six et mise en place du tarif douanier commun.
- *21 avril 1970:* décision du Conseil portant création des ressources propres à la Communauté.
- *22 janvier 1972:* signature du traité d'adhésion de l'Angleterre, du Danemark et de l'Irlande (effet au 1er janvier 1973).
- *28 février 1975:* signature de la première convention de Lomé entre la CEE et 46 pays d'Afrique, des Caraïbes et du Pacifique (ACP).
- *20 septembre 1976:* décision d'élire les députés européens au suffrage universel.
- *28 mai 1979:* traité d'adhésion de la Grèce (entrée en vigueur au 1er janvier 1981).
- *7 et 10 juin 1979:* premières élections du Parlement européen au suffrage universel.
- *12 juin 1985:* signature, à Madrid et à Lisbonne, des traités d'adhésion de l'Espagne et du Portugal (entrée en vigueur au 1er janvier 1986).
- *14 juin 1985:* la Commission transmet au Conseil un *Livre blanc* sur l'achèvement du Marché intérieur d'ici à 1992 (300 propositions).
- *17 et 28 février 1986:* signature, à Luxembourg et à La Haye, de l'Acte unique européen modifiant le traité de Rome et prévoyant la réalisation du Marché intérieur pour le 1er janvier 1993 (entrée en vigueur le 1er juillet 1987).
- *13 février 1988:* accord au Conseil européen de Bruxelles sur la réforme du financement des Communautés.
- *19 juin 1990:* signature entre la France, l'Allemagne et le Bénélux de la convention de Shengen sur la libre circulation des personnes.
- *9 et 10 décembre 1991:* sommet de Maastricht : accord sur le traité d'Union économique et monétaire (UEM) et sur le traité d'Union politique.

la réalisation du Marché intérieur pour le 1er janvier 1993, puis dans le traité d'Union politique adopté par les chefs d'État et de gouvernement au sommet de Maastricht, les 9 et 10 décembre 1991.

1. Le choix de la coopération (1945-1951)

À la fin du second conflit mondial, l'Europe est ruinée, dévastée. Pour maintenir leur situation économique, les États européens doivent s'unir, mais lesquels et comment ? *A priori*, les États de l'Europe de l'Est, y compris l'URSS, n'étaient pas exclus. Pourtant, ils vont refuser, craignant une remise en cause de leur souveraineté. Dès lors, l'union va se faire entre les États de l'Europe occidentale à l'initiative et avec l'aide des États-Unis. C'est la proposition du général Marshall le 5 juin 1947 de fournir une aide de 13 milliards de dollars à l'Europe qui aboutit à la création de l'OECE (Organisation européenne de coopération économique) par la convention de Paris du 16 avril 1948. L'OECE est transformée en OCDE (Organisation de coopération et de développement économique) par une convention du 14 décembre 1960. Auparavant, certains États européens avaient décidé de s'unir sur le plan militaire dans le cadre de l'UEO (Union de l'Europe occidentale), créée par le traité de Bruxelles du 17 mars 1948, et de l'OTAN (Organisation du traité de l'Atlantique Nord) signé le 4 avril 1949. Enfin, la création du Conseil de l'Europe le 5 mai 1949 fait suite au congrès de La Haye. Dans toutes ces organisations (voir encadré), la souveraineté des États est garantie par la mise en place de structures intergouvernementales et par la définition de domaines d'action limités [3] [2].

Des structures intergouvernementales

L'exemple du Conseil de l'Europe est le plus caractéristique : les fédéralistes européens, réunis à La Haye en 1948, s'étaient prononcés sans ambiguïté pour une Europe intégrée sur le plan institutionnel. N'avaient-ils pas affirmé dans leur manifeste : « Nous voulons une assemblée européenne où soient représentées les forces vives des nations. » La France est favorable à une telle proposition et la défendra dans les négociations qui précéderont la création du Conseil de l'Europe. En revanche, l'Angleterre s'y oppose vivement en insistant sur l'importance du Conseil des ministres, organe qui permet de sauvegarder l'autorité des États.

Finalement, la structure institutionnelle du Conseil de l'Europe sera le résultat d'un compromis entre ces deux positions. Certes, pour la première fois, une organisation internationale comprend une assemblée qui ne représente pas seulement les gouvernements des États membres puisqu'elle est composée de parlementaires des différents pays choisis par les parlements nationaux (sauf pour l'Angleterre dont les représentants sont choisis par le gouvernement). Mais cette assemblée ne dispose que d'un pouvoir consultatif et ne peut pas prendre de décisions; le véritable pouvoir est détenu par le Conseil des ministres dans lequel chaque gouvernement dispose d'un représentant. La présidence est exercée à tour de rôle par des représentants des États membres par ordre alphabétique pour éviter de donner une prime aux représentants des grands États. Enfin et surtout, sauf cas particulier prévu dans les statuts, les décisions sont prises à l'unanimité, ce qui revient à donner une sorte de droit de veto à chaque État. Enfin le secrétariat est un simple organe administratif d'exécution des décisions. Ainsi, malgré quelques particularités importantes, le Conseil de l'Europe reste bien, du point de vue de sa structure, une organisation internationale classique.

Cette constatation s'impose avec d'autant plus d'évidence pour l'UEO et l'OECE. Ici encore, l'organe souverain est le Conseil des ministres qui statue à l'unanimité... De toute façon, l'OECE devenue OCDE en 1960 n'est même plus une organisation européenne au sens géographique du terme puisqu'elle comprend des membres extérieurs comme les États-Unis ou le Japon. Dès lors, la structure intergouvernementale était la seule qui pouvait convenir; il n'empêche qu'on est loin des propositions des mouvements fédéralistes... De toute façon, ces organisations n'ont que des ambitions limitées en ce qui concerne leur domaine d'action.

Des domaines d'intervention limités

Toutes les organisations nées de la coopération ont un domaine d'action restreint même si parfois leur statut pose le principe d'une compétence générale. L'Union de l'Europe occidentale (UEO) a vu son action essentiellement consacrée à la défense européenne et aux questions militaires. En 1954, elle apparaît comme un succédané de la CED (la Communauté européenne de défense était un projet d'union militaire de l'Europe; il a échoué le 30 août 1954 lorsque le parlement français a refusé de le ratifier). En réalité, cette action deviendra très vite résiduelle car l'UEO va intervenir dans le même cadre que l'OTAN.

L'OTAN combine des structures militaires et civiles. A la tête des premières se trouve le commandement militaire intégré, organisé autour du commandement suprême allié en Europe (SACEUR), dont le siège est à Bruxelles, dirigé par un général américain (les dernières années : les généraux Haig, puis Rogers), et un commandement suprême Atlantique (SACLANT), dont le siège est à Norfolk (États-Unis). Depuis 1966, la France, à l'initiative du général de Gaulle, ne fait plus partie des structures intégrées (les forces françaises ne sont plus sous commandement étranger, et les bases américaines en France ont été démantelées), mais elle reste membre de l'Alliance atlantique. Les structures civiles sont placées sous la direction du Conseil de l'Atlantique Nord, dont le secrétariat général est traditionnellement assuré par un Européen. Il existe aussi de nombreux comités du Conseil à compétence élargie (affaires politiques, économiques, etc.), ou techniques (plans civils d'urgence, etc.). Ainsi, l'hégémonie américaine apparaît tant sur le plan civil que militaire. On la retrouve dans des organisations à la création desquelles les États-Unis ont contribué, et dont ils font aujourd'hui partie : c'est le cas de l'OECE puis de l'OCDE. L'objectif de l'OECE était, outre la répartition de l'aide américaine, la création d'une véritable coopération économique entre les États européens ; même si elle n'a pas réussi à atteindre ce but, l'activité de l'OECE a été particulièrement positive dans deux domaines : elle a permis une certaine libération des échanges par la suppression des contingentements mis en place à la suite de la crise de 1929, et, par la création de l'Union européenne des paiements, elle a rendu possible la limitation des déséquilibrages des balances des paiements des États. En 1960, la transformation de l'OECE s'imposait puisque l'aide provenant du plan Marshall prenait fin et que la libération des échanges était désormais réalisée dans le cadre de l'Europe des Six. Dès lors, l'objectif fixé à la nouvelle organisation apparaît plus vaste puisqu'il s'agit d'aboutir au rapprochement des politiques économiques des États, mais elle peut intervenir dans des domaines plus précis tels que les échanges internationaux, l'environnement, le domaine social.

En fait, les organes de l'OCDE apparaissent surtout comme des organes d'études et de réflexion dans le domaine économique. En aucun cas il ne s'agit de tenter d'infléchir la politique économique des États. L'activité de l'OCDE ne peut porter atteinte à leur souveraineté.

On ne peut porter le même jugement sur le *Conseil de l'Europe*. Ici, le pouvoir de décision existe, mais dans un domaine extrêmement réduit, même s'il est important, celui de la *reconnaissance et de la protection des droits de l'homme*. C'est l'objet de la « convention européenne des droits de l'homme et des libertés fondamentales » signée à Rome le 4 novembre 1950. La convention est entrée en vigueur le 3 septembre 1953 après dix ratifications. Actuellement, elle lie les vingt et un États membres du Conseil de l'Europe.

La France n'a ratifié la convention qu'en 1974, pendant l'interim d'Alain Poher. Jusque-là, de nombreux arguments juridiques avaient été avancés pour expliquer ce refus : le délai de garde à vue prévu par la législation française, le monopole de la radiodiffusion, l'article 16 de la Constitution, autant de dispositions considérées comme incompatibles avec la convention. En fait, l'argument véritable était politique : c'était l'affaire d'Algérie et la crainte de la France, si elle ratifiait le texte, de voir les organes de la convention s'immiscer dans cette affaire...

Le contenu de la convention ne présente guère d'originalité ! Les droits qui sont reconnus dans le texte sont ceux qui figurent dans toutes les déclarations existant dans les États membres, c'est-à-dire les droits individuels classiques : sûreté, liberté d'expression, liberté de communication... à l'exclusion des droits économiques et sociaux. L'accord des États sur une reconnaissance commune était ici d'autant plus facile qu'ils partageaient la même idéologie libérale.

L'originalité et la spécificité de la convention européenne des droits de l'homme se situent essentiellement dans le système de protection mis en place. La convention crée en effet *deux organes chargés de garantir les droits :*

La Commission européenne des droits de l'homme. — Elle est composée d'un nombre de membres égal à celui des parties contractantes, choisis pour six ans par le Conseil des ministres sur une liste de noms présentés par l'assemblée consultative. Ces membres bénéficient d'une grande indépendance puisqu'ils siègent à titre individuel et ne représentent pas l'État dont ils ont la nationalité. La Commission ne rend pas des décisions juridictionnelles. Elle est chargée de se prononcer sur la recevabilité des requêtes qui lui sont adressées, d'arriver à une solution diplomatique de l'affaire et, si elle n'y parvient pas, de saisir la Cour. L'aspect le plus caractéristique est ici la possibilité qu'ont les individus de saisir directement la Commission, à condition que les États dont ils sont ressortissants aient accepté les voies de recours individuels. La France ne l'a fait que le 20 octobre 1981. En 1985, seuls Malte, Chypre, la Grèce, la Turquie et le Liechtenstein n'avaient pas encore accepté ce droit. Cette prudence de certains États est d'autant plus surprenante que la Commission fait un usage modéré du pouvoir qui lui est ainsi reconnu.

La Cour européenne des droits de l'homme. — Par comparaison, son action peut paraître plus efficace. Celle-ci est composée d'un nombre de membres égal à celui du Conseil de l'Europe. Les magistrats sont élus par l'assemblée consultative. Depuis sa création, en 1951, elle a rendu 86 arrêts et a constaté 43 violations des droits de l'homme. Dans ses décisions, la Cour n'hésite pas à sanctionner les États, même si des intérêts politiques importants sont en jeu. Ainsi, dans une affaire Klaas du 6 septembre 1978, la Cour a sanctionné des pratiques utilisées par le Royaume-Uni en Irlande du Nord en vue de faire face à la situation de crise. Ces pratiques qui consistaient à faire subir aux personnes détenues dans des « centres non identifiés » des interrogatoires « poussés » n'ont pas été assimilées à des tortures mais ont été considérées comme constituant des traitements inhumains et dégradants. Par son action en matière de droits de l'homme, le Conseil de l'Europe va dans le sens de l'union, et des institutions comme la Commission des droits de l'homme ou la Cour peuvent être considérées comme des institutions supranationales plus proches de celles de la CEE que de celles de l'OCDE ou de l'UEO. D'un certain point de vue, elles participent plutôt de l'œuvre d'intégration que de l'œuvre de coopération.

2. Le choix de l'intégration (1951-1970)

Un peu d'histoire...

L'idée d'une intégration plus poussée des États européens va à nouveau faire son apparition à partir des années cinquante et alors que les premières institutions européennes nées de l'après-guerre développent déjà leur action. Cependant, à la différence de ce qui s'était produit pendant des siècles, ce ne sont plus des écrivains, des philosophes ou des poètes qui vont développer l'idée d'Europe, mais des hommes politiques, diplomates ou chefs d'État, et ils auront pour ambition de la traduire dans des réalisations concrètes.

A ce stade crucial de la construction européenne, quelques hommes ont joué un rôle essentiel ; le premier est Jean Monnet qui sans élaborer directement les différents projets d'union de l'Europe va les inspirer fortement. C'est le cas avec la création de la CECA, en 1951. A cette époque, les États-Unis, pour des raisons stratégiques, souhaitent un renforcement de l'Allemagne face à la puissance du bloc soviétique. Mais cela ne peut se faire que dans le cadre d'une reconstruction de l'économie allemande qui passe par un développement de sa production de charbon et d'acier limitée par le statut d'occupation et auquel la France est hostile. Pour Jean Monnet, la solution consiste à mettre en commun les productions française et allemande en les plaçant sous la direction d'une Haute Autorité, organe supranational composé de membres indépendants. C'est ce que propose Robert Schuman, ministre français des Affaires étrangères, dans son célèbre discours prononcé le 9 mai 1950, qui sera suivi de la signature du traité CECA le 18 avril 1951. L'Angleterre, soucieuse de préserver sa souveraineté, refuse d'y adhérer. La CECA regroupe donc la France, l'Allemagne, le Benelux, et l'Italie.

Après les échecs des tentatives de création de Communauté politique (1953) et de Communauté européenne de défense (1954), c'est encore Jean Monnet qui va relancer l'idée européenne en créant le comité d'action pour les États-Unis d'Europe. L'action du comité est directement à l'origine de la conférence des ministres des Affaires étrangères des Six à Messine (1er et 2 juin 1955) qui vont confier le soin à Henri

Spaak d'établir un projet de communauté économique européenne dont l'aboutissement sera *la signature des deux traités de Rome* (CEE et CEEA [Communauté européenne de l'énergie atomique]) le 25 mars 1957.

A partir de cette date, ce sont les chefs d'État qui prennent le relais des diplomates et la construction européenne est renforcée par le rapprochement de deux pays, la France et l'Allemagne, et la rencontre de deux hommes : de Gaulle et Adenauer. Certes, de Gaulle est hostile à l'idée de fédération, telle qu'elle avait été exprimée par Jean Monnet. Cependant son action permet de résister à l'offensive de l'Angleterre qui, dès cette époque, aurait souhaité que l'Europe se dilue dans une sorte de zone de libre-échange. Elle créera d'ailleurs l'Association européenne de libre-échange (AELE) (qui comprend sept États : Angleterre, Autriche, Danemark, Norvège, Portugal, Suède et Suisse).

Pourtant, en 1961, devant le succès du Marché commun, l'Angleterre demande son adhésion, poussée sans doute dans ce sens par les États-Unis favorables au développement de la CEE dans laquelle ils voient avant tout un débouché considérable pour leurs exportations. D'autant plus qu'ils peuvent espérer en faire un instrument d'une libéralisation généralisée des échanges mondiaux. Dans cette optique, l'entrée de l'Angleterre ne peut que leur être favorable. S'il s'agissait là d'une stratégie, on peut considérer que le général de Gaulle y fera échec en y opposant son veto dans sa célèbre conférence de presse du 14 janvier 1963. Mais en même temps, par son refus de l'élargissement, la France ouvre une crise grave des institutions communautaires.

De Gaulle ne manque pas une occasion de manifester son hostilité à toute construction fédéraliste [2]. La crise de l'Europe politique est déjà ouverte. En revanche, au même moment l'*intégration économique* se réalise conformément aux objectifs que s'étaient fixés les auteurs du traité de Rome. Dans leur esprit c'est avant tout l'idée de créer un *grand marché* qui a prédominé en raison de tous les avantages techniques et financiers attachés à une telle création : transformation des structures de production, spécialisation plus poussée, qui se traduit par une baisse des coûts de production et donc à terme un relèvement des niveaux de vie. Pour réaliser cette intégration économique, deux types d'action sont nécessaires.

Elle consiste à faire disparaître tous les obstacles à la libre circulation pouvant exister dans les États au moment de la mise en œuvre du traité de Rome, c'est-à-dire en janvier 1958. Mais cette action strictement négative dans laquelle la Communauté européenne procède essentiellement par voie d'interdictions ne peut être suffisante. Elle doit être complétée par des mesures visant à rapprocher les législations entre les États membres. En effet, il ne sert à rien, par exemple, de poser le principe de la liberté d'établissement des entreprises à l'intérieur de la CEE si les charges fiscales ou sociales qui sont prévues dans les différents États ne sont pas harmonisées. De la même manière, le principe de la liberté d'établissement et de prestation de services des médecins et des avocats serait vidé de tout son sens si un effort d'harmonisation des législations sur la formation universitaire n'était pas entrepris (problème de l'équivalence des diplômes).

La suppression des obstacles à la libre circulation. — C'est sans doute l'élément le plus souvent avancé pour caractériser l'action de la Communauté européenne. C'est notamment le cas pour la libre circulation des marchandises qui amène certains à réduire la Communauté européenne à une union douanière. Celle-ci consiste à substituer un seul territoire douanier aux six territoires des pays composant la Communauté (plus tard aux dix, puis aux douze). De ce point de vue, elle se rapproche de la zone de libre-échange qui entraîne également une suppression des droits de douane et des contingents. Mais l'union douanière va plus loin puisqu'elle doit aboutir à l'établissement d'un tarif douanier commun. A l'origine, elle devait être réalisée au bout d'une période transitoire de douze ans (divisée en trois étapes de quatre ans). En effet, si en 1958 on avait libéré brutalement les frontières, cela pouvait provoquer une véritable catastrophe économique étant donné les niveaux de développement différents entre les États. C'est pourquoi la suppression définitive de tous les obstacles à la libre circulation des marchandises a été différée. Mais elle a pu être réalisée plus vite que prévu (en 1968 au lieu de 1970). Et, aujourd'hui, seul le maintien de certaines formalités ou procédures peut gêner les opérateurs économiques.

Il n'en va pas toujours de même en matière de libre circulation des salariés ou de la liberté d'établissement et de service. En ce qui concerne les travailleurs, toute discrimination directe en fonction de la nationalité est impossible, car elle constituerait une violation flagrante des règles du traité. Mais les États peuvent être tentés d'introduire dans leurs réglementations législatives ou administratives, ou même dans leurs simples pratiques, des discriminations indirectes moins visibles et plus insidieuses (réserver par exemple le bénéfice de certaines prestations sociales aux salariés nationaux). Certes, la Cour de justice ne va pas manquer de sanctionner de telles irrégularités, mais encore faut-il qu'elle soit saisie !

De même si la liberté de prestation de service des professions libérales ne fait aucun doute, la liberté d'établissement est plus difficile à mettre en œuvre car il faut tenir compte ici non seulement d'une mauvaise volonté éventuelle de l'État, mais aussi de la résistance des professions concernées (profession médicale, par exemple). De plus, l'État est autorisé pour des raisons touchant au maintien de l'ordre public à porter atteinte au principe de non-discrimination. Enfin, et surtout, la réalisation du principe de libre circulation passe par un rapprochement des législations.

L'harmonisation des législations. — Elle consiste avant tout dans une coordination. Elle peut cependant aller quelquefois, malgré les limites posées par les textes, jusqu'à une véritable unification. Pour être efficace et permettre la réalisation de l'intégration, l'harmonisation doit porter sur des domaines généraux. Ainsi l'établissement d'une libre concurrence suppose une harmonisation des charges fiscales et sociales entre les États ; c'est pourquoi les organes communautaires se sont efforcés d'harmoniser la fiscalité indirecte. Ce sont les nombreuses directives portant sur la TVA européenne (*cf.* la sixième directive TVA du 17 mai 1977). Dans le domaine social, des règles ont été posées en vue d'aboutir à une égalité de traitement entre les salariés des différents États. La plus célèbre est sans doute la directive du Conseil du 10 février 1975 sur l'égalité des salaires masculins et féminins. Cette harmonisation doit aussi être complétée dans des secteurs particuliers. C'est le cas des professions libérales où de nombreux textes posent le principe de la reconnaissance mutuelle des diplômes (*cf.*, à titre d'exemple, la directive du

16 juin 1975 sur les médecins). Il faut aussi noter l'harmonisation des normes techniques, dont il serait superflu de souligner l'importance pour la réalisation de la libre circulation des marchandises.

L'intégration positive

Les institutions communautaires sont souvent présentées comme un exemple d'intégration authentique [6]. Elles rassemblent un certain nombre de caractéristiques qui les rendent originales par rapport aux autres organisations internationales et aux institutions étatiques classiques. Certes, on y retrouve quatre organes dont la qualification peut paraître familière en droit international : *le Conseil des ministres, la Commission, l'assemblée et la Cour de justice* (voir encadré).

Seul le Conseil des ministres apparaît comme un organe intergouvernemental puisqu'il est composé d'un représentant par État (douze membres en 1986), et que la présidence en est assurée par chacun des États membres pendant une durée de six mois. Mais à la différence de ce qui se passe dans les organisations intergouvernementales, la plupart de ses décisions auraient dû être prises à la majorité. Si cette évolution ne s'est pas faite, ce n'est pas en raison des dispositions du traité. Il faut tenir compte ici de la résistance des souverainetés étatiques, qui sera d'ailleurs un facteur important de la crise des Communautés.

En revanche, la Commission, composée de fonctionnaires indépendants des États membres, peut apparaître comme un véritable organe supranational.

Quant à l'assemblée européenne, elle n'a qu'un rôle consultatif et ne dispose pas d'un véritable pouvoir législatif. Mais un lien direct est établi entre elle et la population des États par le biais du suffrage universel (ce qui n'est pas le cas dans les autres organisations internationales).

Enfin, la Cour n'est pas seulement une juridiction administrative interne, mais une véritable juridiction communautaire. A ce titre, elle n'est que le sommet de l'édifice juridictionnel européen dont les juridictions étatiques fournissent la base.

Cette originalité du schéma institutionnel communautaire

À l'origine, les trois communautés (CECA, CEE, CEEA) ont un Parlement et une Cour commune, mais trois conseils et trois commissions (dont la Haute Autorité CECA). À partir du traité de fusion du 8 avril 1965, mis en application le 1er août 1967, il y a un Conseil unique et une Commission. Il y a donc au sens du traité quatre *institutions* (Conseil, Commission, Cour, Parlement) auxquelles il faut ajouter des organes complémentaires (Comité économique et social, Cour des comptes, Conseil européen).

1. *Le Conseil des ministres :* est composé d'un représentant par État (12 membres en 1986). Cette dénomination unique peut couvrir diverses formations : Conseil des ministres des Affaires sociales, des Transports... La présidence est assurée à tour de rôle par chacun des États membres pendant une durée de six mois. Par exemple, en 1989, la présidence du Conseil des ministres a été assurée au premier semestre par l'Espagne et, au second, par la France. Les réunions du Conseil des ministres étant épisodiques, il est assisté d'un organe permanent chargé de préparer ses décisions : le COREPER (Comité des représentants permanents). En vertu des traités, le Conseil des ministres est le véritable organe législatif des Communautés, ce qui se traduit par l'adoption de règlements et de directives. En raison de l'évolution politique de la Communauté, il est devenu le *seul centre effectif de décision*.

2. *La Commission des Communautés européennes :* composée de 17 membres choisis d'un commun accord entre les États pour une durée de quatre ans. Le président est nommé pour deux ans. Le 5 janvier 1991, une nouvelle Commission a été mise en place pour quatre ans et le mandat de J. Delors à la tête de celle-ci a été renouvelé. La Commission est divisée en 22 directions qui peuvent être considérées comme l'équivalent des différents ministères dans les États ; par exemple : direction de l'Information, de l'Agriculture, etc. Ces directions sont assistées d'un service juridique, d'un office statistique et d'un office des publications officielles. La Commission emploie environ 13 000 fonctionnaires. Elle est chargée de veiller à la bonne application du droit communautaire. Si elle constate qu'un État a manqué à une de ses obligations, elle peut lui adresser une recommandation. De façon plus générale, elle peut participer à la construction communautaire en adressant des propositions de règlement ou de directive au Conseil. Mais, en fait, la Commission a peu à peu perdu sa fonction politique pour se cantonner dans des tâches strictement administratives.   →

3. *Le Parlement européen* : a pour rôle de représenter les peuples des États. À l'origine, ses membres étaient désignés au suffrage universel indirect par les parlementaires des différents pays. Depuis l'accord du 20 septembre 1976, l'élection a lieu au suffrage universel direct. Le Parlement comprend 518 députés, depuis le 1er janvier 1986, date de l'adhésion de l'Espagne et du Portugal. Le nombre des députés varie suivant l'importance économique et démographique de l'État. Le mandat des députés est de cinq ans. Les États sont libres de choisir leur système électoral (majoritaire pour la Grande-Bretagne, proportionnel pour les autres pays). Les représentants à l'assemblée des peuples espagnol et portugais sont choisis par les parlements des nouveaux États membres. Dans les deux ans qui suivent l'adhésion, des élections au suffrage universel doivent être organisées dans ces pays. Le Parlement européen a connu trois élections, les 7 et 10 juin 1979, les 14 et 17 janvier 1984 et les 15 et 18 juin 1989 (voir tableau I). L'organisation du Parlement européen est assez comparable à celle d'un Parlement national. Il choisit son bureau et élit son président pour deux ans et demi ; les députés se constituent en groupes politiques. Le nombre minimal pour constituer un groupe est de 21 s'ils appartiennent à un seul État, 15 (2 États), 10 (3 États). Les *pouvoirs* de fait du Parlement sont faibles. Il se contente de donner des avis. En matière politique, il dispose du pouvoir de renverser la Commission par une motion de censure, mais il ne l'a jamais fait. Enfin, il détient surtout des pouvoirs en matière budgétaire.

TABLEAU I. — COMPOSITION DU PARLEMENT EUROPÉEN
AU 28 JUILLET 1989

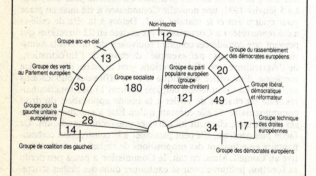

Source : Tribune pour l'Europe, juillet 1989.   →

4. *La Cour de justice des Communautés* était composée à l'origine de 6 juges (un par État) puis 9 et 10 (au fur et à mesure des élargissements). La Cour comprend aujourd'hui 13 juges assistés de 6 avocats généraux pour aboutir à la règle de l'imparité qui rend la prise de décision plus facile et pour faire face à l'accroissement de ses tâches. Les juges et avocats généraux sont choisis parmi des personnalités indépendantes, susceptibles d'occuper dans leur pays les plus hautes fonctions juridictionnelles, d'un commun accord par les gouvernements des États membres. Les particuliers ont un accès limité à la Cour contre les décisions individuelles dont ils sont les destinataires. Les autres organes communautaires ou les États peuvent saisir la Cour pour lui demander de sanctionner une violation du droit communautaire. Les juridictions étatiques peuvent également saisir la Cour pour l'interroger sur une interprétation du droit. Par son action, la Cour participe à la construction européenne. Par une décision du Conseil du 24 octobre 1988 a été créé un tribunal de première instance des Communautés européennes, qui fera partie intégrante de la Cour de justice sur le plan institutionnel et dont le rôle est de réduire la charge de travail de celle-ci.

5. Aux institutions proprement dites, il faut ajouter les *organes complémentaires ; le Comité économique et social* est composé de 189 membres représentant les différentes catégories économiques et sociales (en fait, un tiers employeurs, un tiers travailleurs, un tiers autres : agriculteurs, consommateurs...) nommés par le Conseil des ministres sur propositions faites par les organisations professionnelles, par l'intermédiaire des gouvernements. Comme le Parlement, il donne son avis sur les différentes propositions transmises par la Commission au Conseil. *La Cour des comptes* a été créée par le traité du 22 juillet 1975. Elle est composée de 12 membres nommés pour six ans par le Conseil parmi des personnalités possédant une qualification particulière pour exercer cette fonction. Elle est chargée de veiller à la bonne application des règles budgétaires de la Communauté ; elle formule des avis, publie un rapport annuel et contrôle l'exécution des dépenses *(pouvoir de décharge). Le Conseil européen* est l'héritier des conférences au sommet des chefs d'État et de gouvernement. En 1974, à la suite d'une initiative de Helmut Schmidt et de Valéry Giscard d'Estaing, il fut décidé au sommet de Paris d'institutionnaliser une telle pratique en vue de permettre une meilleure coopération entre les États. Destiné à l'origine à être un organe d'impulsion, le Conseil européen a aujourd'hui tendance à se substituer aux institutions communautaires.

ne permet pas cependant de l'assimiler à un système étatique. Ainsi, le Conseil des ministres ne peut être considéré comme l'équivalent du gouvernement d'un État. Il est au contraire, au plan communautaire, une sorte de pouvoir législatif puisqu'il détient le pouvoir normatif. La Commission peut être considérée comme un organe exécutif, mais elle n'a pas d'équivalent dans les États. Quant au Parlement, malgré son élection au suffrage universel, il ne peut, en aucun cas, être comparé à un parlement étatique puisqu'il ne dispose ni du droit de voter l'impôt, ni de celui d'élaborer la législation. L'existence d'organes complémentaires comme la Cour des comptes ou le Comité économique et social, qui n'ont qu'un rôle consultatif, ne modifie pas le schéma général, pas plus que la création en 1974 du Conseil européen qui réunit au moins trois fois par an les chefs d'État et de gouvernement de la Communauté. Au total, les institutions européennes sont bien des institutions originales qui ne ressemblent à rien d'existant et dont l'objectif incontestable est l'intégration des États. De ce point de vue, le droit peut aussi jouer un rôle important [4], [5], [7], [11].

La construction d'un droit communautaire uniforme et primant le droit des États est peut-être une œuvre plus discrète et moins spectaculaire que la mise en place des institutions. Elle est pourtant indispensable à toute tentative d'intégration. Le droit communautaire est composé d'actes divers dont la définition figure en partie dans l'article 189 du traité. Ce sont les règlements, les décisions et les directives qui ont un caractère obligatoire ainsi que les avis et les recommandations qui sont simplement consultatifs. Le règlement constitue la véritable loi communautaire. Il est adopté par le Conseil des ministres et publié au *Journal officiel des Communautés*. Il s'applique donc sur le territoire des États membres sans qu'il soit besoin d'une loi, d'un décret ou d'un arrêté pour le transposer. On peut citer à titre d'exemple les règlements agricoles qui permettent de substituer une organisation commune des marchés à l'organisation nationale. La directive, en revanche, se limite, en théorie, à poser des principes généraux en laissant aux États le soin de les compléter par des actes juridiques nationaux (exemple : la sixième directive TVA de 1977). En fait, les directives européennes, en raison de leur technicité, sont de plus en plus détaillées et ne laissent que peu de possibilités de choix aux États. Enfin, les décisions ne s'adressent qu'aux destinataires qu'elles désignent expressément (exemple : les décisions prises dans le cadre de la politique de concurrence et qui consistent à sanctionner les entreprises ne respectant pas l'interdiction des ententes). Tous ces actes sont pris suivant une procédure assez complexe : proposition de la Commission, avis du Comité économique et social et du Parlement, décision du Conseil (voir tableau II). Cette élaboration peut être longue : quelques mois ou quelques années. Cette lenteur tient au fonctionnement bureaucratique de la Communauté, mais aussi au fait que toute question, même technique, soulève des problèmes politiques.

La question la plus importante, lorsqu'on aborde le droit communautaire, est celle de ses rapports avec les droits nationaux. Or, ces rapports sont régis par deux principes essentiels : *la primauté* et *l'applicabilité directe.*

La primauté signifie que la règle européenne provenant du traité ou du droit dérivé est toujours supérieure à la règle de droit interne. C'est ce qui ressort clairement du célèbre arrêt « Costa contre Enel », de la Cour de justice des Communautés européennes du 15 juillet 1964, dans lequel était en cause la régularité du monopole italien de l'énergie électrique par rapport au droit européen. Plus que la solution adoptée, c'est toute l'argumentation développée dans cette décision pour justifier la primauté qui en fait l'intérêt. La Cour en effet n'a pas manqué d'insister sur la spécificité du droit communautaire : « A la différence des traités internationaux ordinaires, le traité de la CEE a institué un système juridique propre intégré au système juridique des États membres lors de l'entrée en vigueur du traité et qui s'impose à leurs juridictions... » D'où la conclusion qu'elle en tire : « Issu d'une source autonome, le droit né du traité ne pourrait donc en raison de sa nature spécifique originale se voir judiciairement opposer un texte interne quel qu'il soit, sans perdre son caractère communautaire et sans que soit mise en cause la base juridique de la Communauté elle-même. »

La primauté implique que toute règle nationale antérieure au traité de Rome et comportant des dispositions contraires doit disparaître. Mais cette supériorité des dispositions communautaires vaut également à l'égard des textes pris ultérieu-

TABLEAU II. — L'ÉLABORATION
DES ACTES COMMUNAUTAIRES

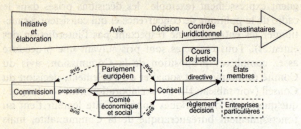

Source: Commission des Communautés européennes.

rement à la mise en vigueur du traité de Rome. Dans ce cas, c'est à la juridiction nationale saisie d'un conflit entre droit interne et droit européen de trancher le litige en faveur de ce dernier. Par exemple, dans un arrêt important du 24 mai 1975, « Cafés Jacques Vabre », la Cour de cassation française n'a pas hésité à refuser d'appliquer une disposition du code des douanes français parce qu'elle était contraire aux principes de la Communauté européenne.

En revanche, le Conseil d'État, depuis la célèbre « affaire des semoules » (arrêt du 1er mars 1968) refusait de vérifier la validité d'une loi par rapport à un traité. Ce faisant, il allait d'ailleurs à l'encontre de l'article 55 de la Constitution de 1958, en vertu duquel les traités régulièrement ratifiés et publiés ont une autorité supérieure aux lois, sous réserve de réciprocité (c'est-à-dire l'application par l'autre ou les autres parties). Il a abandonné cette jurisprudence dans une décision qui marquera sans doute un tournant historique dans la construction communautaire en France. Il s'agit de l'arrêt « Nicolo » du 20 octobre 1989. Le Conseil d'État avait été saisi d'un recours d'un certain nombre d'électeurs aux élections européennes de juin 1989. Ceux-ci contestaient la conformité au traité de Rome de la loi du 7 juillet 1977 organisant en France les élections européennes. Pour la première fois, la plus haute juridiction administrative accepte de confronter la loi par rapport au traité, suivant sur ce point les conclusions de son commissaire du Gouvernement, M. Frydman. Elle met fin ainsi à une situation anormale, dans laquelle le Conseil d'État était la seule juridiction européenne à méconnaître la primauté du droit communautaire. Un passage des conclusions du commissaire du Gouvernement est particulièrement révélateur, et mérite d'être cité : « On ne répétera jamais assez que l'époque de la suprématie inconditionnelle du droit interne est désormais révolue. Les normes internationales et notamment européennes ont progressivement conquis notre univers juridique, sans hésiter d'ailleurs à empiéter sur le domaine de compétence du Parlement... Ainsi, certains secteurs entiers de notre droit, tels celui de l'économie, du travail, ou de la protection des droits de l'homme sont-ils aujourd'hui très largement issus d'une véritable législation internationale. Or, l'impossibilité de faire prévaloir le traité sur la loi constitue évidemment un frein à cette évolution. La France ne peut simultanément accepter les limitations de souveraineté, et maintenir la suprématie de ses lois devant les juges. »

En ce qui concerne les directives communautaires qui, tout en étant des actes obligatoires, ont besoin pour être applicables en droit interne d'une mesure de transposition, leur supériorité ne fait également aucun doute. Ainsi en France, si la directive touche à des domaines législatifs, le Parlement doit intervenir par une loi pour introduire le texte dans notre droit. On peut citer le cas de la sixième directive TVA du 16 mai 1977 qui a été introduite non sans difficulté en France par la loi de finances du 29 décembre 1978. De même, à la suite de la directive du 16 mai 1975 sur la reconnaissance mutuelle des qualifications professionnelles des médecins, la France a dû modifier, par une loi du 31 décembre 1976, les dispositions du code de la santé publique.

Quelquefois, un décret ou un arrêté suffisent pour appliquer le texte européen. Ainsi, c'est par un décret du 14 mars 1973 que le gouvernement français a modifié le code des marchés publics pour permettre leur ouverture à la concurrence européenne conformément à la directive du Conseil du 26 juillet 1971. Enfin, ce sont de simples arrêtés qui permettent de mettre en œuvre en France les nombreuses règles européennes sur les normes techniques. Lorsque les États n'acceptent pas de respecter la hiérarchie entre les règles européennes et leurs règles nationales, ils peuvent faire l'objet de sanctions de la part de la Cour de justice des Communautés. Ainsi, la France a été condamnée en janvier 1985 en raison de son interprétation illégale de la réglementation des prix de l'essence, ce qui a eu pour conséquence de libérer les prix et donc de favoriser les consommateurs. La primauté a donc essentiellement deux fonctions : l'uniformité et l'efficacité du droit européen.

L'applicabilité directe est également un facteur d'unité du droit ; elle signifie que tout ressortissant peut invoquer devant ses propres juridictions nationales une norme communautaire. Elle a été posée dans l'arrêt Van-Gend en Loos du 5 février 1963 rendu par la Cour de justice des Communautés européennes à propos de l'application en Hollande de l'article 12 du traité CEE sur la suppression des droits de douane. Le mode de raisonnement suivi par la Cour dans cet arrêt est tout à fait comparable à celui de l'arrêt Costa. En effet, après avoir rappelé que « l'objectif du traité CEE qui est d'instituer un marché commun dont le fonctionnement concerne directement les justiciables de la Communauté, implique que ce traité constitue plus qu'un accord qui ne créerait que des obligations mutuelles entre États contractants », la Cour estime que « partant, le droit communautaire, indépendant de la législation des États membres, de même qu'il crée des charges dans le chef des particuliers, est aussi destiné à engendrer des droits qui entrent dans leur patrimoine juridique »...

L'applicabilité directe des règles européennes est particulièrement sensible pour les individus dans le domaine de la libre circulation des travailleurs. Ceux-ci bénéficient en effet de la possibilité de quitter le pays dont ils sont ressortissants pour aller travailler dans un autre pays de la CEE. Mais les États peuvent la leur refuser pour des raisons touchant à la protection de l'ordre public. Dans ce cas, les particuliers peuvent invoquer les textes européens et notamment une directive du Conseil du 25 février 1964 d'après laquelle les personnes concernées doivent bénéficier de la possibilité de se défendre devant des organes impartiaux.

La mise en place de politiques communes complète l'édifice intégrationniste (voir chapitre IV). En fait, la seule politique commune véritable est la politique agricole. Mais elle connaît depuis quelques années une crise grave qui est directement liée à la crise générale de l'intégration.

3. La crise de l'intégration (1970-1985)

Le 1er décembre 1969, au « sommet » de La Haye, les chefs d'État et de gouvernement des six pays membres de la CEE se prononcent pour le renforcement de la Communauté et pour son élargissement. Des perspectives nouvelles semblent ainsi ouvertes pour la réalisation de l'union de l'Europe. La crise économique qui éclate en 1973 remet tout en cause. Pour y faire face, les États recherchent avant tout des solutions à travers leurs identités nationales afin de tenter de reporter sur leurs partenaires le poids de la crise.

En même temps, les États-Unis, qui avaient laissé se développer la construction européenne, livrent désormais à la CEE une « guerre économique » et commerciale sans merci. Or, dans ce contexte, le principe de solidarité qui est un des éléments essentiels de l'intégration européenne tend à disparaître pour céder la place à l'idée de « juste retour ». Certains États n'acceptent de contribuer à la construction de l'Europe que s'ils en reçoivent en contrepartie des avantages substantiels. C'est la position de l'Angleterre qui rêve toujours de transformer l'Europe en zone de libre-échange dans laquelle chaque État pourrait mieux défendre ses propres intérêts. Mais c'est aussi depuis 1982 en partie la position de l'Allemagne qui souhaite limiter sa contribution au budget communautaire.

La construction européenne ne progresse plus. Malgré la suppression des droits de douane en 1968, le Marché commun est loin d'être réalisé. Les institutions européennes sont bloquées et dans l'incapacité de prendre des décisions.

Les limites du Marché commun

A partir des années 1982-1983, les institutions européennes ont constaté les insuffisances de la réalisation du marché intérieur européen. Le Parlement européen a confié, en 1982, à deux experts, Michel Albert et James Ball, le soin d'étudier la crise économique que traverse l'Europe, et les moyens de retrouver la croissance. Ceux-ci, dans un rapport publié en 1983 [8], ont abouti à la conclusion que, malgré la suppression définitive des droits de douane en 1968, on a assisté à un maintien des cloisonnements des marchés, qui empêche l'Europe de faire face sérieusement à la crise, et de tirer tous les avantages économiques d'un grand marché. En effet, les limites du Marché commun apparaissent tant dans la circulation des personnes que des marchandises. Les premières, lorsqu'elles franchissent les frontières, sont toujours soumises à des contrôles de police parfois longs et tatillons, et n'ont pas l'impression d'appartenir à une même communauté. Quant à la libre circulation des marchandises, elle est toujours freinée par des obstacles non tarifaires (les ONT dans le jargon communautaire), essentiellement constitués par la multiplication des normes techniques et par la persistance de contrôles administratifs et sanitaires aux frontières, qui aboutissent à un ralentissement des échanges.

Le blocage des institutions

A partir de 1972, les institutions européennes semblent marquer le pas ; le Conseil des ministres revient à des méthodes qui sont plutôt celles d'organes de coopération, notamment au niveau des procédures de prise de décision. Ce n'est d'ailleurs pas nouveau puisque déjà en 1965 une crise grave avait éclaté sur ce thème, à la suite de l'attitude de la France. Le problème est simple en apparence : il s'agit de choisir entre deux types de procédés de vote, la majorité et l'unanimité. Dans un premier temps, l'unanimité était exigée pour toutes les décisions. Le traité renvoyait à la fin de la seconde étape de la période de transition pour le passage à la majorité (c'est-à-dire le 31 décembre 1965).

Or, en juin 1965, la France a refusé cette évolution ; c'est le fameux épisode de « la chaise vide » pendant lequel elle a refusé de siéger au Conseil des ministres tant qu'elle n'obtiendrait pas satisfaction sur le maintien du principe de l'unanimité. Au bout de six mois de blocage des institutions, le compromis de Luxembourg du 30 janvier 1966 met fin au conflit, mais consacre le maintien implicite de l'exigence de la majorité, du moins dans un certain nombre de cas. D'après ce texte, en effet, il est reconnu que lorsque des intérêts très importants seront en jeu, la discussion entre les membres du Conseil pourra se poursuivre jusqu'à ce qu'ils soient arrivés à un accord unanime. C'est en réalité la réintroduction du droit de veto malgré les dispositions du traité qui prescrivaient une évolution vers la majorité, phénomène que l'on pourrait qualifier de *dérive intergouvernementale*.

Les États semblent toutefois avoir porté un coup d'arrêt à cette déviation : le 18 mai 1982, devant le blocage anglais à propos de la fixation des prix agricoles, ils n'ont pas hésité à passer outre et à appliquer la règle de la majorité. Cette affaire intervient cependant dans un contexte particulier : celui de la guerre des Malouines. A ce moment, l'Angleterre était pratiquement obligée de s'incliner devant la majorité si elle voulait continuer à bénéficier du soutien des pays européens. Le retour à l'unanimité est donc un des facteurs de la crise qui a affecté la Communauté.

Depuis quelques années, on assiste aussi à une sorte de *marginalisation de la Commission*. Son rôle en tant qu'organe de gestion et d'exécution n'est pas toujours vraiment reconnu par le Conseil des ministres qui a tendance à conserver pour lui des secteurs nouveaux d'intervention de la CEE (politique régionale, politique énergétique, aide aux pays en voie de développement). De plus, la Commission est souvent bloquée par un fonctionnement assez lourd, que certains n'hésitent pas à qualifier de bureaucratique. Enfin, vis-à-vis du Conseil européen, elle ne dispose pas d'un pouvoir de propositions formelles. Elle joue un rôle d'assistance plus que d'initiative : présentation des rapports, mémorandums, communications, etc.

L'apparition du Conseil européen est précisément un élément supplémentaire de déstabilisation des institutions européennes. Conçu à l'origine pour être une instance d'impulsion politique au plus haut niveau, il s'est très vite transformé en véritable organe de décision. Ce faisant, le Conseil européen remet en cause l'autorité du Conseil des ministres et le pouvoir de contrôle du Parlement européen. Or, la stagnation des pouvoirs du Parlement est un facteur supplémentaire de la crise des institutions européennes. Depuis 1975, en effet, le Parlement européen n'a acquis aucun pouvoir nouveau. Les traités de Luxembourg (22 avril 1970) et de Bruxelles (22 juillet 1975) lui avaient permis de conquérir le pouvoir budgétaire et de disposer dans ce domaine d'un pouvoir de codécision avec le Conseil. Mais le Parlement européen n'a toujours pas conquis le pouvoir législatif ; c'est le Conseil des ministres qui reste le véritable pouvoir normatif en la matière. Et le Parlement ne joue qu'un rôle consultatif. *Au total, le pouvoir au sein des Communautés européennes est passé de la Commission au Conseil des ministres, puis au Conseil européen sans jamais toucher le Parlement.* L'intégration qui semblait être à l'origine des institutions européennes est de moins en moins présente dans leur fonctionnement réel.

Une telle situation, si elle s'était prolongée, pouvait signifier à terme la disparition de la CEE. Une tentative de relance s'imposait donc.

4. La relance de l'intégration (1985-1991)

Devant le constat d'échec de la construction européenne (la « non-Europe ») que notamment le rapport Albert-Ball faisait apparaître clairement, la commission Delors, nommée le 1er janvier 1985, a décidé de réagir en publiant en juin 1985 un *Livre blanc sur l'achèvement du Marché intérieur* (dans lequel, outre le diagnostic sur le maintien des frontières, figure le détail des mesures à prendre pour la réalisation du Marché commun). Pour donner une valeur juridique à ces objectifs, les États membres ont signé, les 17 février et 28 février 1986, l'Acte unique européen. Outre les dispositions sur le Marché intérieur reprises du *Livre blanc*, il initie une réforme des institutions et jette les bases de nouvelles politiques (environnement, sécurité, etc.). Mais, très vite, ces objectifs sont apparus trop étroits car trop exclusivement économiques. Face aux bouleversements à l'Est, la Communauté se devait d'offrir une autre image que celle d'un simple Marché commun. L'idée d'une Union politique est donc lancée au Conseil européen de Strasbourg de décembre 1989 par les chefs d'État et de gouvernement ; elle a finalement abouti au sommet de Maastricht des 9 et 10 décembre 1991.

L'Acte unique européen: vers l'achèvement du Marché intérieur le 1er janvier 1993

La *réalisation du Marché commun* ou du *Marché intérieur* devrait être achevée au 31 décembre 1992, date à laquelle ne devraient plus subsister d'obstacles à la libre circulation des marchandises, des personnes, des services et des capitaux. A ce propos, il convient de souligner que cet objectif est souvent présenté à tort comme un événement totalement nouveau. Il ne s'agit, en fait, que de mettre en œuvre ce qui aurait dû être effectué depuis longtemps, si les dispositions du traité de Rome avaient été respectées. Pour y arriver, les organes communautaires devraient prendre, d'ici à 1992, plus de 300 directives, suivant un échéancier mis en place par la Commission dans son livre blanc publié en 1985 [12] et cela dans trois domaines essentiels : la suppression des frontières physiques, techniques et fiscales.

La *suppression des frontières physiques* est l'élément le plus tangible pour le grand public. Il s'agit tout d'abord des obstacles qui existent encore aux frontières pour la libre circulation des marchandises, contrôles sanitaires, statistiques, aussi bien qu'obstacles en matière de transports.

Cela suppose un important effort d'harmonisation, mais aussi une simplification des formalités encore existantes dans le domaine douanier (malgré la suppression des droits) : jusqu'à une époque récente, un transporteur routier qui franchissait la frontière devait remplir 70 documents différents ! En 1988, la CEE a accompli un progrès considérable en instituant le DAU (document administratif unique). En ce qui concerne les personnes, le maintien des contrôles aux frontières répond à une double motivation : fiscale et policière (lutte contre le banditisme, le trafic de drogue ou le terrorisme). Or, le problème n'est pas aussi simple, car la réalisation du grand marché suppose le transfert de ces contrôles à la frontière extérieure commune de l'Europe. Cela nécessite un effort d'harmonisation des législations européennes sur le problème de la drogue ou de la réglementation des armes, et même, à la limite, la mise en place d'une politique commune en matière d'immigration.

Les accords conclus à Shengen le 14 juin 1985, entre la France, la RFA et les pays du Benelux, vont dans ce sens puisqu'ils prévoient d'abord un allégement des contrôles aux frontières, puis leur transfert aux frontières extérieures de ces mêmes pays à partir du 1er janvier 1990 ; finalement, la convention d'application de ces accords a été signée le 19 juin 1990, et devrait entrer en vigueur en juin ou juillet 1992, lorsque toutes les ratifications auront été effectuées.

La France, pour sa part, a ratifié la convention en juin 1991. (Elle a été approuvée massivement par l'Assemblée nationale.) Le Conseil constitutionnel a reconnu la constitutionnalité de cette loi de ratification dans une décision du 25 juillet 1991, rejetant ainsi les arguments de ceux qui voyaient dans la convention une atteinte à la souveraineté de l'État français. Par ailleurs, l'Italie, puis l'Espagne et le Portugal ont, à leur tour, signé ces accords, portant ainsi le nombre des participants à huit ; la convention est un texte long et détaillé (142 articles). Il pose le principe du libre franchissement des frontières intérieures, et met en place en contrepartie une coopération policière, judiciaire et douanière entre les États ainsi qu'une politique commune des visas et du droit d'asile. Ainsi, Shengen peut apparaître comme une sorte de laboratoire de la libre circulation des personnes.

Il reste que la convention est limitée à huit États. Ce qui renforce l'idée d'une Europe à plusieurs vitesses. Pour que les mêmes principes s'appliquent à tous les États membres, il faudrait une décision unanime du Conseil des ministres des Communautés, puisque la libre circulation des personnes demeure, avec la réglementation des travailleurs et l'harmonisation fiscale, un des trois domaines dans lequel l'unanimité est exigée. Cependant, il convient d'ajouter que le principe de la libre circulation des personnes a été renforcé par trois directives du 28 juin 1990, relatives au droit de séjour dans la Communauté pour les travailleurs ayant cessé leur activité (retraités) et pour les étudiants ; ainsi les travailleurs (au sens économique du terme) ne sont-ils plus les seules personnes directement visées par le traité de Rome.

La suppression des frontières techniques [10], pour être moins spectaculaire, est tout aussi importante, car elle consiste à lever les obstacles qui, jusqu'à présent, ont permis de réduire la libre circulation des marchandises, malgré la suppression des droits de douane. Deux aspects doivent être, ici, soulignés : la libération des marchés publics et l'harmonisation des normes techniques européennes. En effet, malgré les directives adoptées en 1971 (sur la coordination de la passation des marchés publics de travaux), et en 1976 (sur les fournitures), l'Europe des marchés publics n'existe pas. Or, ceux-ci représentent une part déterminante du PIB des États (9 %). Leur mise à l'écart du processus de libéralisation dénature donc, en partie, l'existence du Marché commun. Aussi, en mars et octobre 1988, le Conseil des ministres des Communautés a-t-il mis en place de nouvelles directives, qui devraient faciliter l'ouverture d'ici à 1992. En ce qui concerne les normes techniques, l'évolution est tout aussi difficile. Jusqu'à aujourd'hui, l'harmonisation des normes était effectuée au moyen de directives adoptées à l'unanimité par le Conseil des ministres (conformément au traité). Cette procédure est un facteur de lenteur, d'autant plus que de nombreuses normes ont besoin d'être réactualisées, pour suivre l'évolution des progrès techniques. C'est pourquoi on va s'orienter vers une méthode plus souple, consistant dans la *reconnaissance mutuelle*, par les États, des *règles et normes nationales*, ce qui permet à la fois de conserver des normes différentes, tout en assurant la libre circulation. Une illustration de cette méthode est donnée par un arrêt de la Cour de justice de Luxembourg, qui fait obligation à l'Allemagne fédérale de passer outre à sa réglementation sur la bière, pour admettre sur son territoire les bières fabriquées dans les autres pays européens.

Enfin, et surtout, réaliser un grand marché, c'est supprimer les *frontières fiscales*. Malgré les nombreuses directives adoptées pour l'harmonisation de la TVA depuis 1977 (14 à ce jour), les Européens ne se sont toujours pas mis d'accord sur les taux qui varient de 7 à 38 % suivant les pays.

Certains pays tels que l'Angleterre pratique même le taux zéro pour un certain nombre de produits (produits alimentaires, produits pharmaceutiques, etc.). Devant cette situation, la Commission s'est efforcée de faire des propositions d'harmonisation des taux. Mais devant l'opposition de nombreux gouvernements (seules l'Allemagne et la France ont accepté les « fourchettes » avancées), elle a renoncé à ses projets... Finalement, le Conseil économie-finances du 24 juin 1991 a pu parvenir à un accord politique fixant le taux normal minimal de TVA à 15 %. Mais cet accord ne s'est pas toujours traduit par une directive. Par ailleurs, le système reste celui de la taxation dans le pays destinataire du produit (au taux de celui-ci), alors qu'une véritable harmonisation supposerait la taxation dans le pays d'origine.

La réforme des institutions constitue aussi une des composantes essentielles de l'Acte unique européen. Cette réforme a très souvent été envisagée depuis 1970, date de la fin de la période transitoire. De nombreuses tentatives de relance des institutions ont été effectuées, soit à l'initiative des chefs d'État, soit à l'initiative des organes communautaires eux-mêmes. Mais, en l'absence d'une volonté politique suffisante de la part des États, ces projets n'ont jamais été suivis de décisions. Devant ces échecs répétés, le Parlement a décidé de prendre en main lui-même la réforme des institutions. Une commission institutionnelle du Parlement européen a été créée en 1981 (le 19 juillet), et c'est Altiero Spinelli, député communiste italien, qui l'animait. Les travaux de cette commission ont abouti à l'élaboration d'un projet de traité d'Union européenne, adopté par le Parlement européen le 14 février 1984.

Sans le dire expressément, celui-ci mettait en place un véritable projet d'État fédéral européen, dans lequel, à terme, les compétences des États devaient être transférées à l'Union. Pour mettre en œuvre cette nouvelle répartition des compétences, le projet modifiait de manière importante les institutions de la CEE, en les rapprochant d'un système fédéral, notamment par la création d'un bicaméralisme : l'actuel Conseil des ministres jouant le rôle de Chambre des États, et le Parlement élu au suffrage universel le rôle de Chambre des peuples. La Commission devenait un véritable organe exécutif, et la Cour de justice des Communautés européennes devait être appelée à jouer le rôle de Cour suprême dans un système fédéral (à savoir la répartition des compétences entre l'Union et les États membres). Ce projet ambitieux a finalement été abandonné. La Commission, chargée par le Conseil européen de Fontainebleau d'examiner cette question de l'Union européenne (Comité Dooge), a fait des propositions plus limitées, qui sont traduites dans l'Acte unique européen. Les dispositions institutionnelles de celui-ci portent essentiellement sur quatre points : le *Conseil européen*, réunion des chefs d'État et de gouvernement, se voit reconnaître une existence juridique. Il est prévu qu'il se réunisse au moins une ou deux fois par an, mais il n'accède pas au « grade » d'institution, au sens du traité de Rome.

La modification la plus importante porte sur le *Conseil des ministres* des Communautés. En vue de faciliter la réalisation du Grand Marché pour 1992, les règles de vote au sein du Conseil ont été modifiées.

Normalement, le vote à la majorité qualifiée doit remplacer le vote à l'unanimité. Dans le calcul de celle-ci, les voix de chaque État sont affectées d'un coefficient de pondération. Les quatre grands États (France, Allemagne, Royaume-Uni, Italie) ont chacun 10 voix ; l'Espagne, 8 ; la Belgique, la Grèce, les Pays-Bas et le Portugal, 5 ; le Danemark et l'Irlande, 3 ; le Luxembourg, 2. La majorité est de 54 voix exprimant le vote favorable d'au moins huit États membres.

Le vote à l'unanimité n'est maintenu que dans certains secteurs (harmonisation des législations fiscales, libre circulation des personnes, mesures relatives aux droits et intérêts des travailleurs).

La troisième innovation concerne la *Commission des Communautés*. Celle-ci se voit reconnaître des pouvoirs plus larges, en matière de gestion et d'exécution des actes du Conseil des ministres.

Enfin, le *Parlement européen* se voit attribuer de nouvelles formes de participation à l'édiction des actes communautaires, par la création d'une procédure de coopération (la plupart des actes communautaires étant adoptés à la suite d'une sorte de navette entre le Parlement et le Conseil des ministres).

Au total, l'Acte unique européen réalise une réforme des institutions beaucoup plus modeste que celle qui figurait dans le projet Spinelli. Mais le passage à la règle de la majorité peut, s'il est effectivement appliqué, avoir des conséquences considérables sur la vie de la Communauté.

Outre les dispositions sur le Marché intérieur et sur les institutions, l'Acte unique européen développe un certain nombre de règles sur la cohésion économique et sociale, la recherche et le développement technologique, et l'environnement. Il contient aussi des dispositions sur la coopération européenne en matière de politique étrangère. Pour la première fois, un texte inclut dans la coopération politique les problèmes de sécurité européenne (à travers ses conditions industrielles et technologiques). Mais la référence expresse à l'UEO et à l'OTAN confirme, une fois de plus, le souci de ne pas s'engager dans la voie d'une authentique défense européenne.

Le tabou, né de l'échec de la CED, est toujours vivant, et réduit, encore aujourd'hui, la portée d'une politique extérieure déconnectée de la politique de défense.

En définitive, la portée de l'Acte unique reste très controversée. Pour les uns, c'est l'acte le plus important depuis la signature des traités instaurant la Communauté. Pour les autres, la « montagne fédérale » du projet Spinelli a accouché d'une souris tout simplement réformatrice. La Commission des Communautés a fait de la réussite de l'Acte unique son principe d'action jusqu'en 1992. Cependant, n'y a-t-il pas de meilleur aveu du caractère limité de l'Acte unique que le début de son préambule dans lequel les signataires se déclarent prêts à « transformer l'ensemble des relations entre leurs États en Union européenne », ce qui est une manière de reconnaître que celle-ci n'est pas encore réalisée [12]...

Le sommet de Maastricht des 9 et 10 décembre 1991 : vers l'Union politique

A Maastricht, deux projets de traité ont été élaborés et approuvés par les chefs d'État et de gouvernement : l'un sur l'Union économique et monétaire (cf. chap. III et IV), et l'autre sur l'Union politique. Même si la majorité des États n'a pas voulu qu'il soit fait référence au « lien fédéral » dans le texte, l'objectif est, à terme, la création d'une sorte d'État fédéral européen.

Les composantes de l'Union politique sont multiples. L'innovation la plus importante est incontestablement la reconnaissance d'une citoyenneté européenne. Jusqu'ici, les ressortissants de la CEE avaient une sorte de citoyenneté économique et sociale (reconnaissance du principe de non-discrimination, de la libre circulation des travailleurs, de la liberté d'établissement et de prestations de services), mais point de citoyenneté politique (participation aux consultations électorales, par exemple). En 1985, le comité Adonino sur l'Europe des citoyens avait présenté deux rapports qui n'avaient guère été suivis d'effets (notamment dans l'Acte unique de 1986). L'accord de Maastricht met enfin en place cette citoyenneté. Désormais, la citoyenneté européenne sera reconnue à tous les citoyens des États membres de la CEE ; la citoyenneté entraîne un certain nombre de droits : le droit de libre circulation, mais aussi le droit de vote et d'éligibilité aux élections municipales et européennes, ce qui ne manquera pas d'entraîner dans certains pays et, en particulier, en France, la nécessité d'une révision de la Constitution ; le droit à la protection diplomatique de la part d'un État membre dans un États tiers auprès de qui l'État dont le ressortissant a la nationalité n'a pas de représentant ; le droit de pétition devant le Parlement européen déjà organisé par le règlement de celui-ci est désormais inscrit dans le projet de traité. Enfin, le projet met en place un médiateur nommé par le Parlement européen pour la durée de la législature et auquel tout citoyen peut adresser un recours. Ainsi, progressivement, la construction européenne aboutit à une dissociation du lien traditionnel entre citoyenneté et nationalité, sauf à imaginer une future nationalité européenne.

Sur le plan institutionnel, le traité d'Union politique poursuit, en l'approfondissant, le processus initié par l'Acte unique, dont l'objectif est de renforcer la légitimité démocratique des institutions communautaires. Les principales modifications concernent le *Parlement* sur, essentiellement, deux domaines : en premier lieu, le Parlement participe désormais à l'investiture de la Commission ; les membres sont toujours désignés d'un commun accord par les gouvernements des États membres, mais ils ne peuvent être juridiquement nommés qu'après le vote de confiance du Parlement ; d'autre part, le Parlement est davantage associé au processus législatif. Il peut demander à la Commission de soumettre des propositions de textes ; la procédure de codécision est étendue à d'autres domaines que ceux qui étaient déjà prévus par l'AUE : ainsi, désormais, l'adoption de la procédure électorale uniforme nécessitera l'avis conforme du Parlement européen. De plus, le droit de vote dont jouissait le Parlement européen, depuis 1987, pour l'adhésion des nouveaux membres et les accords de coopération devraient jouer désormais pour tous les accords internationaux importants. Les autres institutions sont peu concernées par les accords de Maastricht, sauf la *Commission* qui voit le nombre de ses membres diminuer et passer de 17 à 12. De plus, elle doit désormais être investie par le Parlement.

Un certain nombre de dispositions du traité d'Union politique prévoient *un élargissement des compétences de la Com-*

munauté au détriment de celles des États dans des domaines relevant déjà de la compétence communautaire : c'est le cas notamment de la recherche et du développement technologique, de la cohésion économique et sociale, de la protection de l'environnement et de la politique sociale ; sur ce dernier point, cependant, l'accord n'a pu être réalisé qu'à onze, et l'Angleterre ne participera pas au nouveau dispositif qui prévoit notamment l'introduction du vote à la majorité qualifiée dans les domaines de l'hygiène et de la santé dans le travail, de l'information et de la participation des travailleurs, de la mise en œuvre de l'égalité des sexes dans le travail. Le traité prévoit, d'autre part, de nouveaux domaines pour les compétences communautaires : le développement des réseaux transeuropéens dans le secteur des télécommunications, des transports, de l'énergie, de la protection des consommateurs, la politique industrielle, la santé, la culture.

Mais ces nouvelles compétences doivent s'exercer dans le respect du *principe de subsidiarité* en vertu duquel, « dans les domaines qui ne relèvent pas de sa compétence exclusive, la Communauté n'intervient, conformément au principe de subsidiarité, que si et dans la mesure où les objectifs qui lui sont assignés peuvent être mieux réalisés au niveau communautaire qu'au niveau des États membres... ».

Enfin, le traité d'Union politique aborde les domaines de la *politique étrangère* et de la *politique de sécurité* communes à peine évoqués dans l'Acte unique européen ; s'agissant de la politique étrangère, le traité dispose que les Douze pourront mener des « actions communes » et en accélérer la mise en œuvre par des décisions prises à la majorité qualifiée, mais les chefs d'État et de gouvernement devront décider à l'unanimité des domaines qui feront l'objet d'une action commune ; ainsi, dans l'immédiat, il n'y a pas véritablement transfert de compétences des États à la Communauté ; une des premières tentatives d'application de cette politique extérieure commune apparaît dans le processus de reconnaissance des nouveaux États créés à l'Est (la Croatie et la Slovénie, par exemple).

En ce qui concerne la *défense*, l'éclatement de l'Union soviétique qui marque la fin définitive de la guerre froide et de l'équilibre des blocs (équilibre de la terreur) modifie les données de la sécurité en Europe.

Mais elle ne fait pas disparaître la nécessité d'une défense européenne de l'Europe sur un continent de plus en plus instable à l'Est et alors que les négociations sur le désarmement se poursuivent entre les États-Unis et, désormais, la Russie.

Il n'est donc pas étonnant que l'objet d'une *défense commune* soit inscrit dans les accords de Maastricht. Et c'est l'UEO qui sera chargé de l'élaboration de la politique de défense commune ; les liens de l'UEO avec l'Alliance atlantique et l'Union européenne sont définis dans une déclaration annexe du traité ; la Communauté peut donc désormais disposer d'une base juridique pour des interventions militaires communes.

La relance de l'intégration par les accords de Maastricht concerne donc tous les domaines de l'action européenne ; elle devrait logiquement conduire à une Europe plus intègre, voire fédérale après l'an 2000. Encore faut-il que ces accords fassent l'objet d'une ratification dans tous les États membres au cours de l'année 1992...

II / Les moyens budgétaires de l'Europe

En 1991, le budget des Communautés a atteint 55 milliards d'Écus, ce qui représente 385 milliards de francs (1 Écu : environ 7 FF) soit environ 1 % du PIB des pays membres et 3 % des budgets nationaux. Cela peut paraître modeste. Pourtant il faut souligner qu'en dix-huit ans (de 1973 à 1991) le budget des Communautés a été multiplié par plus de dix (en 1973, en effet, la Communauté avait un budget de 4,5 milliards d'Écus, soit 0,5 % du PIB communautaire, et 1,5 % des budgets nationaux).

Cette évolution des finances de la Communauté européenne est le meilleur indice de l'intégration. Elle en est, en même temps, l'élément le plus dynamique [13].

Il n'est dès lors pas étonnant que la conquête du pouvoir budgétaire ait été au centre du débat institutionnel entre le Conseil des ministres et le Parlement. Par ailleurs, la maîtrise du budget communautaire, tant du point de vue des dépenses que des ressources, est absolument nécessaire pour la réalisation des objectifs de la Communauté. C'est pourquoi, dans la perspective du Grand Marché de 1992 [14], une réforme des finances communautaires s'imposait. Elle a été réalisée, à Bruxelles, par le Conseil européen du 13 février 1988, et a pris une forme juridique dans des décisions du Conseil des ministres du 24 juin 1988. Les deux innovations principales portent sur un meilleur contrôle des dépenses, et la mise en place de nouvelles ressources. Mais, avant de les analyser, il convient de retracer l'évolution institutionnelle, en ce qui concerne la détermination du budget.

1. La lutte pour la conquête du pouvoir budgétaire [13]

Dans l'histoire des États, une des premières revendications des parlements a été le vote de l'impôt, c'est-à-dire le droit de décider de la ressource. Au contraire, dans les Communautés européennes, la lutte pour le pouvoir budgétaire est avant tout la lutte pour savoir qui va décider de la dépense. Elle est bien caractéristique de l'évolution des institutions dans le sens de l'intégration. Dans une première période, en effet, de 1958 à 1970, le Conseil des ministres est le seul à détenir le pouvoir budgétaire ; c'est lui qui en vertu du traité arrête définitivement le budget. Le rôle du Parlement est simplement consultatif. A cette époque, l'établissement du budget ne revêt aucun caractère de supranationalité ou d'intégration. Cette situation a changé en deux étapes à la suite du traité de Luxembourg du 21 avril 1970 et surtout du traité de Bruxelles du 22 juillet 1975. En vertu de ces textes, le pouvoir budgétaire est désormais partagé entre le Parlement européen et le Conseil. L'élaboration du budget se fait selon une procédure complexe qui peut durer plus de six mois.

Dans une première étape, qui se déroule au printemps, la Commission des Communautés établit un avant-projet de budget. Cette proposition traduit les options « politiques » de la Commission sur l'avenir de la construction communautaire.

A la suite de l'examen de cette proposition, le Conseil vote le projet de budget dans lequel il peut être amené à revenir sur les options choisies par la Commission.

Le texte est alors transmis au Parlement qui l'examine en première lecture au cours du mois d'octobre. A ce stade de la procédure intervient une distinction très importante entre les dépenses obligatoires (DO) et les dépenses non obligatoires (DNO).

Les dépenses obligatoires sont celles qui découlent obligatoirement du traité ou des textes pris en vertu de celui-ci. Il s'agit essentiellement de dépenses qui ont pour objet d'honorer des engagements pris par la Communauté à l'égard des tiers (par exemple, les dépenses agricoles). Sur ces dépenses, les pouvoirs du Parlement sont extrêmement réduits ; il peut proposer des *modifications*, mais c'est le Conseil qui statue en dernière instance. De plus, le système de la discipline budgétaire mis en place par le Conseil européen de Fontainebleau de juin 1984 diminue d'autant le pouvoir de modification du Parlement puisque la croissance des dépenses agricoles doit être inférieure à celle des ressources propres.

Les dépenses non obligatoires (21,6 % du total en 1985) correspondent au financement des politiques structurelles de la Communauté (politique sociale, régionale, industrielle, etc.). Le budget 1988 a introduit un nouveau mode de classification des DNO en trois catégories :

1) les dépenses prioritaires au titre de l'Acte unique européen : actions structurelles du Fonds social européen, du FEDER et du FEOGA, orientation, dépenses concernant l'environnement et la réalisation du marché intérieur ;

2) les dépenses hors Acte unique (donc non prioritaires), telles que les programmations pluriannuelles, la coopération et le développement ;

3) les dépenses administratives et de fonctionnement.

Ici, les pouvoirs du Parlement sont beaucoup plus importants. Certes, leur taux d'augmentation maximale est fixé chaque année par la Commission en fonction de la conjoncture économique (croissance, inflation...). Mais dans la limite de la marge de manœuvre qui est déterminée à l'avance, le Parlement dispose d'un véritable droit d'amendement.

La première lecture du Parlement terminée, le Conseil procède à l'élaboration d'un second projet dans lequel il peut repousser à la majorité qualifiée les propositions qui lui ont été faites par le Parlement ou n'en tenir compte que partiellement. Ensuite, le Parlement procède à une seconde lecture à l'issue de laquelle le projet est adopté et arrêté définitivement par le président du Parlement européen.

Mais le Parlement n'est pas obligé de se prononcer définitivement. C'est l'innovation la plus importante introduite par le traité de 1975 qui consiste à reconnaître au Parlement le droit de rejeter en bloc le budget, pour un motif important, à la majorité de ses membres et des deux tiers des suffrages exprimés. Par cette mesure, le Parlement dispose d'une sorte de droit de veto sur l'arrêt définitif du budget. Cette procédure a été utilisée à deux reprises : le 13 décembre 1979 et le 13 décembre 1984. Les conditions dans lesquelles elle a été appliquée sont d'ailleurs quelque peu différentes et méritent d'être précisées.

Le 13 décembre 1979, le Parlement nouvellement élu a rejeté le projet de budget estimant que les conditions auxquelles il avait subordonné son adoption n'étaient pas remplies. Contrairement au Conseil, il souhaitait une politique de réduction des dépenses agricoles en vue d'éviter que leur augmentation incessante ne finisse par mettre en danger les bases mêmes de la politique agricole commune. Il estimait d'autre part que les réductions de dépenses auxquelles le Conseil avait procédé en ce qui concerne les autres politiques (politiques sociale, régionale...) ne leur permettraient pas de se développer normalement.

Ce refus du budget 1980 par le Parlement européen a amené la Communauté à fonctionner d'après le « système des douzièmes provisoires » qui consiste à reconduire chaque mois un douzième des crédits ouverts au cours de l'exercice précédent. Ce système, beaucoup pratiqué sous la IVe République en France, n'est guère satisfaisant sur le plan financier. Il est vrai qu'il n'a pas eu à se prolonger puisque en juin 1980 le Parlement a voté le budget.

Au-delà de l'aspect budgétaire, le rejet du budget pour 1980 revêt un aspect « politique ». Il marque une nouvelle fois la volonté du Parlement d'affirmer son autorité au sein de la Communauté et de tenter d'intervenir dans le processus législatif, surtout à la suite de son élection au suffrage universel en juin de la même année. Il est d'ailleurs remarquable de noter que c'est l'année de la deuxième élection au suffrage universel qu'il procède à un nouveau refus du projet présenté par le Conseil.

Le 13 décembre 1984, il a repoussé le budget qui lui était présenté à la quasi-unanimité (340 suffrages exprimés ; 321 contre le projet ; 3 pour ; 16 abstentions). Selon le Parlement, ce projet n'aurait pas permis de faire face aux dépenses de la Communauté jusqu'à la fin 1985 (« un budget pour dix mois », suivant la formule de certains députés). Certes, le Conseil des ministres avait prévu l'adoption d'un budget supplémentaire en cours d'année, mais le Parlement ne lui a, semble-t-il, pas fait confiance sur ce plan. En définitive, après une nouvelle application du système des douzièmes provisoires, le budget a été adopté définitivement le 13 juin 1985. Comme en 1979, au-delà du contexte budgétaire dans lequel se situe cette crise et qui est lié à l'épuisement des ressources communautaires, il y a à nouveau le contexte politique qui joue. L'attitude du Parlement peut s'analyser comme une manifestation de défiance plus générale à l'égard du Conseil. Mais il serait abusif de ne voir dans ces événements qu'une manifestation de mauvaise humeur d'un Parlement nouvellement élu. Le désaccord entre le Parlement et le Conseil est beaucoup plus profond, car il porte sur la structure même des dépenses communautaires.

En 1985, un conflit a à nouveau éclaté entre les deux branches de l'autorité budgétaire (Conseil et Parlement). Le 18 décembre 1985, le Parlement a adopté et arrêté définitivement un budget dépassant assez largement en dépenses le projet présenté par le Conseil. A la suite de cette décision, celui-ci a introduit un recours devant la Cour de justice contre l'arrêt définitif du budget par le Parlement. La Cour a rendu son arrêt le 3 juillet 1986, aux termes duquel la décision du président du Parlement européen est annulée.

Mais, en même temps, la Cour précise que la procédure budgétaire ne peut se terminer que par un accord qui « ne peut être réputé réalisé à partir de la volonté présumée de l'une ou de l'autre institution ».

Autrement dit, le Conseil des ministres ne peut plus estimer que le taux d'augmentation maximal qu'il propose doit être purement et simplement accepté par le Parlement. C'est incontestablement une victoire de celui-ci qui ne fait que confirmer son pouvoir budgétaire.

Enfin, en 1987, pour la première fois dans l'histoire de la Communauté européenne, le Conseil des ministres a été incapable de présenter un projet de budget dans les délais impartis, c'est-à-dire avant le 5 octobre. Malgré les efforts de la présidence danoise, et à la suite de l'échec du Conseil européen de Copenhague des 4 et 5 décembre 1987, l'Europe des douze s'est retrouvée sans budget au 31 décembre. Le système des douzièmes provisoires a donc été, une nouvelle fois, mis en place. Dans le même temps, le dialogue a repris entre la Commission, le Conseil des ministres et le Parlement, pour l'élaboration du budget 1988, qui a été définitivement arrêté par le président du Parlement européen le 1er juin. C'est une des retombées positives du sommet de Bruxelles du 13 février 1988 [15]. Pour mettre fin à ces conflits incessants, le Conseil européen de Bruxelles du

13 février 1988, traduit en termes juridiques par la décision du 24 juin 1988, a mis en place un accord interinstitutionnel sur la discipline budgétaire et une amélioration de la procédure budgétaire. Ainsi, pour la première fois depuis de nombreuses années, le budget 1989 a pu être adopté dans les délais grâce à la coopération entre les diverses institutions.

Les budgets 1990 et 1991 ont également pu être adoptés sans difficulté. Il a cependant été nécessaire, conformément à la procédure mise en place par l'accord institutionnel, de réviser les perspectives financières pour intégrer l'aide aux pays de l'Est, en vue de la restructuration de leurs économies, qui s'est élevée en 1991 à environ 850 millions d'Écus et devrait atteindre le milliard d'Écus en 1992.

Désormais, les rapports entre les institutions dans le domaine financier ne devraient plus s'analyser en termes de lutte, mais de dialogue. Celui-ci est indispensable, si les États membres veulent mieux maîtriser l'évolution des dépenses communautaires, et se doter des ressources nécessaires à l'exécution des politiques communes.

2. La structure et l'évolution des dépenses communautaires

C'est la création en 1962 du Fonds européen d'orientation et de garantie agricole (FEOGA) qui provoque une véritable « explosion » des dépenses communautaires, puisque, à l'origine, ne figuraient dans le budget que les dépenses du fonds social et les dépenses de fonctionnement administratif (traitement des fonctionnaires, etc.). Depuis, cette progression, même si elle s'est ralentie, n'a pas cessé. Cependant elle n'a pas affecté de manière identique les différents postes de la dépense communautaire, ce que montre clairement l'évolution de la structure des dépenses dans les budgets 1979 et 1990 (voir tableau III).

Au total, le montant global a été multiplié par plus de trois entre 1979 et 1990. Cela témoigne de l'effort d'intégration, mais en même temps pose le problème de son financement. C'est la raison pour laquelle les organes communautaires ont proposé depuis quelques années une politique de réduction des dépenses.

Les tentatives de réduction des dépenses : elles correspon-

(en millions d'Écus)

	1979	%	1987	%	1990	%
FEOGA garantie	10 384	67,3	22 961	61,3	26 522	54,9
Politiques structurelles	2 477	16,1	7 695	20,5	11 532	23,8
Autres politiques	906	5,9	2 365	6,3	5 276	10,9
Fonctionnement et divers	1 655	10,7	4 433	11,9	5 025	10,4
Total	*15 422*	*100,0*	*37 454*	*100,0*	*48 355*	*100,0*

dent aux politiques de rigueur qui sont pratiquées par tous
les États membres en matière budgétaire, mais elles visent
plus particulièrement les dépenses afférentes à la politique
agricole puisque celles-ci sont à l'origine des difficultés financières de la Communauté. Pour atteindre ces objectifs, les
organes communautaires ont mené une double action.

D'une part, ils ont engagé une réforme de la politique agricole commune (PAC ; voir chapitre IV). Celle-ci, commen-
cée depuis de nombreuses années, a, semble-t-il, enfin abouti
au Conseil européen de Bruxelles du 13 février 1988. En vue
de limiter l'augmentation des dépenses de la PAC, les chefs
d'État et de gouvernement ont envisagé toute une série de
mesures, dont les deux plus spectaculaires sont la mise en
place de stabilisateurs (instauration de quantités maximales
garanties dont le dépassement entraînerait notamment une
diminution des prix d'achat à l'intervention), et le « gel » des
terres, consistant à mettre hors culture, pour une durée de
cinq ans, une partie des terres de la Communauté, en vue
d'éviter la surproduction.

D'autre part, au Conseil européen de Fontainebleau du
24 juin 1984, les États se sont mis d'accord sur le système
de la discipline budgétaire. Le principe général est que, désormais, le niveau des dépenses sera établi en fonction des recettes disponibles. Au début de la procédure budgétaire, le
Conseil des ministres doit fixer l'enveloppe maximale des
dépenses, en faisant en sorte que les dépenses agricoles pro-
gressent moins vite que les ressources propres et que le taux

maximal d'augmentation des dépenses non obligatoires soit effectivement respecté. Ce système, qui n'avait pas permis de contenir valablement la dépense agricole, a été précisé et complété au Conseil européen de Bruxelles du 13 février 1988, qui a abouti à la décision du Conseil des ministres du 4 juin 1988. Celle-ci fixe une limitation de la progression des dépenses agricoles à 74 % du taux de croissance du PNB. C'est la « ligne directrice agricole », sur laquelle doivent s'aligner les propositions de prix agricoles faites chaque année par la Commission. Une autre innovation très importante est la mise en place de « perspectives financières pluriannuelles » (pour la période 1989-1992), établies à la suite d'un accord entre le Conseil, la Commission et le Parlement européen. Il s'agit des limites imposées à la progression des dépenses pour la durée de l'accord. En vertu de ces prévisions (voir tableau IV), les dépenses agricoles devraient passer de 27,5 milliards d'Écus en 1988 à 29 milliards d'Écus en 1992 (en prix de 1988), et ne plus représenter que 5,6 % des dépenses. En revanche, les fonds consacrés aux politiques structurelles et aux programmes pluriannuels (PIM, recherche) enregistrent presque un doublement entre 1989 et 1992. Les autres politiques (transports, protection de l'environnement et des consommateurs, énergie, industrie et marché intérieur, ainsi que la coopération avec les pays tiers) n'augmentent que de 30 % environ. Ces prévisions chiffrées année par année jusqu'en 1992 engagent les institutions et devraient permettre une progression plus raisonnable des différentes dépenses. Mais la réduction des dépenses ne permettra pas de résoudre le déséquilibre budgétaire de l'Europe, si elle ne s'accompagne pas de la recherche de nouvelles ressources. Cette augmentation est d'autant plus nécessaire que la croissance des dépenses est devenue inévitable, malgré les mesures d'économie, en raison surtout du coût de l'élargissement de la Communauté à l'Espagne et au Portugal et des dépenses supplémentaires dans le domaine des fonds structurels (fonds social, fonds régional et FEOGA, orientation).

TABLEAU IV. — LES PERSPECTIVES FINANCIÈRES 1988-1992: LEUR CONTENU

(en Mio Écus, prix 1988)

Crédits pour engagements	1988	1989	1990	1991	1992
1. FEOGA-Garantie	27 500	27 700	28 400	29 000	29 600
2. Actions structurelles	7 790	9 200	10 600	12 100	13 450
3. Politiques à dotation pluriannuelle (PIM, recherche) [1]	1 210	1 650	1 900	2 150	2 400
4. Autres politiques	2 103	2 385	2 500	2 700	2 800
dont DNO	1 646	1 801	1 900	1 910	1 970
5. Remboursements et administration	5 700	4 950	4 500	4 000	3 550
dont déstockage	1 240	1 400	1 400	1 400	1 400
6. Réserve monétaire [2]	1 000	1 000	1 000	1 000	1 000
Total	45 303	46 885	48 900	50 950	52 800
dont [3] : DO	33 698	32 607	32 810	32 980	33 400
DNO	11 605	14 278	16 090	17 970	19 400
Crédits de paiement nécessaires :	43 779	45 300	46 900	48 600	50 100
dont [3] : DO	33 640	32 604	32 740	32 910	33 110
DNO	10 139	12 696	14 160	15 690	16 990
Crédits de paiement en % du PNB	1,12	1,14	1,15	1,16	1,17
Marge pour imprévus	0,03	0,03	0,03	0,03	0,03
Ressources propres nécessaires en % du PNB	1,15	1,17	1,18	1,19	1,20

1. Le chapitre F sur les prévisions budgétaires du Conseil européen donne un montant de 2,4 milliards d'Écus (prix de 1988) pour les politiques à dotations pluriannuelles à l'horizon 1992. Les politiques en question sont la recherche et le développement et les programmes intégrés méditerranéens. Seules les dépenses pour lesquelles il existe une base juridique peuvent être financées sous cette ligne budgétaire. L'actuel programme-cadre fournit, en ce qui concerne les dépenses de recherche, une base juridique pour un montant de 863 millions d'Écus (prix courants) en 1992.

Le règlement relatif aux programmes intégrés méditerranéens fournit une base juridique pour un montant estimatif de 300 millions d'Écus en 1992 (en prix courants). Les deux branches de l'Autorité budgétaire s'engagent à respecter le principe selon lequel tout crédit supplémentaire dans le cadre de ce plafond, pour 1990, 1991 et 1992, nécessitera une révision de l'actuel programme-cadre ou, avant la fin de 1991, une décision sur un nouveau programme-cadre, fondée sur une proposition de la Commission conformément aux dispositions législatives de l'article 130 Q de l'Acte unique européen.

2. Défini en prix courants.

3. Sur la base de la classification proposée par la Commission dans l'APB pour 1989. La décision nécessaire de l'autorité budgétaire sera mise en œuvre à titre d'ajustement technique.

Source : Vade-mecum budgétaire de la Communauté, édition 1988.

3. Quelles ressources pour la Communauté économique européenne ?

Après avoir été pendant des années un facteur d'intégration de la CEE, les ressources, en raison de leur épuisement, constituent plutôt aujourd'hui un frein à la construction européenne. Il est donc nécessaire que l'Europe trouve de nouveaux moyens de financement si elle ne veut pas être contrainte d'abandonner toute activité.

La création des ressources propres, facteur d'intégration

Dans un premier temps, les ressources communautaires provenaient de contributions financières versées par les États membres, suivant un système qu'on retrouve dans la plupart des organisations intergouvernementales (l'ONU, par exemple). Ainsi la Communauté était étroitement dépendante des États. Cette dépendance financière entraînait inévitablement une dépendance politique qui pouvait se retrouver notamment au niveau de la prise de décision au sein du Conseil. A partir de la réalisation en 1968 de l'union douanière, ce système pouvait constituer un frein important au développement de l'activité européenne. C'est pourquoi le Conseil, dans sa décision du 21 avril 1970 (applicable à compter du 1er janvier 1971), a remplacé les contributions financières par un système de ressources propres.

Ces ressources proviennent de trois origines différentes :
— *le bénéfice des droits de douane* perçus à l'importation des produits en provenance de pays tiers à la Communauté ;
— *les prélèvements agricoles* perçus dans le cadre de la politique agricole commune ;
— *un prélèvement égal à un pourcentage de TVA* perçu dans les différents États membres de la Communauté (voir tableau V), ce pourcentage ne pouvant être supérieur à 1 %.

Ainsi le produit de la TVA représente en pourcentage la part la plus importante, alors que les produits des ressources propres traditionnelles n'ont cessé de diminuer depuis 1980, date de la première année de versement de la TVA par les neuf États membres : 52,5 % en 1980 contre 45,8 % en 1985. Dans les budgets ultérieurs, la part de la TVA n'a cessé de croître. Ainsi, dans les budgets 1987, 1988, 1989 et 1990,

TABLEAU V. — ÉVOLUTION DE LA STRUCTURE DES RECETTES
DANS LA PÉRIODE 1987-1990
(en % des recettes totales)

Domaines	1987	1988	1989	1990
Droits de douane	24,70	19,62	19,90	21,90
Prélèvements agricoles et cotisations sucre	8,60	6,44	5,80	4,0
TVA	64,70	54,58	56,57	52,60
4e ressource proportion- nelle au PNB	—	16,23	17,16	18,10
Divers	2	3,13	0,60	3,40
Total	100,00	100,00	100,00	100,00

les ressources propres traditionnelles (droits de douane, prélèvements agricoles, cotisations sucre) représentent un tiers
du total, contre plus de la moitié pour la TVA. A ces ressources prévues par le budget il convient d'ajouter le produit
des emprunts que la Communauté peut être amenée à lancer sur le marché des capitaux. Mais la caractéristique de
tous ces emprunts est d'être affectés à une action déterminée.
Ces emprunts sont de plusieurs catégories. Durant les premières années de la Communauté, c'est surtout la CECA qui
utilise la technique de l'emprunt, dont le bénéfice est destiné
à favoriser la modernisation ou la conversion dans les
secteurs du charbon ou de l'acier. A partir de 1975, les
deux autres communautés ont également eu recours à cette
source de financement. L'Euratom, tout d'abord, a utilisé
l'emprunt en vue de financer la construction de centrales
nucléaires de puissance. La CEE a été autorisée par un règlement du Conseil de février 1975 à émettre des emprunts destinés à financer des prêts consentis aux États membres
(emprunts BP = balance des paiements). Enfin, en 1978, a été
mis en place un nouvel instrument d'emprunt communautaire destiné à financer des programmes d'investissement
dans les États (c'est le nouvel instrument communautaire :
NIC, ou facilités Ortoli). En 1988, le montant total des
emprunts communautaires a atteint environ 11 milliards
d'Écus, ce qui représente 25 % du budget communautaire.

Il faut inclure dans ce chiffre les opérations d'emprunt-prêt réalisées par la Banque européenne d'investissement (BEI), dont le montant s'élève en 1988 à 9,6 milliards d'Écus.

Cette évolution importante du volume des emprunts ne saurait être considérée comme une solution aux problèmes financiers de la Communauté puisque ces emprunts demeurent des ressources affectées et ne peuvent servir à couvrir les dépenses du budget général. Seules les ressources propres peuvent remplir cette fonction. Leur diminution, voire leur épuisement, ne pourra que remettre en cause la construction communautaire.

L'épuisement des ressources propres, frein de la construction européenne

Depuis 1983, l'épuisement des ressources propres est considéré avec le plus grand sérieux par les organes communautaires. Déjà en 1983, elles ont tout juste permis de couvrir les dépenses. En 1984, pour la première fois de son histoire, la Communauté européenne s'est trouvée devant une situation financière délicate faisant apparaître un déficit important qui a été évalué à 2 333 millions d'Écus (soit 14 milliards de francs français) par les services de la Commission. Parmi les causes du déficit, il faut surtout retenir la décision du Conseil agriculture du 31 mars 1984 qui a entraîné de nouvelles dépenses (notamment dans le domaine du soutien du marché laitier). Or les ressources perçues par la Communauté (en particulier en provenance de la TVA) ne permettaient pas de couvrir le déficit.

Aussi la Commission avait-elle envisagé de lancer un emprunt auprès des États qui aurait dû faire l'objet d'un remboursement échelonné en huit tranches semestrielles à partir du 30 juin 1986 (pratique courante dans d'autres organisations internationales et notamment à l'ONU). Finalement, cette solution n'a pas été retenue et la situation a pu être sauvée par l'appel à une avance des États.

Mais il ne s'agit là que d'une solution provisoire, et il a fallu attendre le Conseil européen du 13 février 1988 pour que la situation financière de la Communauté soit réglée jusqu'en 1992. C'est qu'en fait, au-delà de l'aspect conjoncturel de la crise de 1984, se posent des problèmes plus profonds et plus durables dus à l'attitude de certains États, en particulier de l'Angleterre. C'est ce qu'on appelle en termes plus techniques *le problème de la contribution britannique*.

Il faut souligner en effet que les deux tiers des ressources financières de la Communauté proviennent de trois États : la République fédérale d'Allemagne, l'Angleterre et la France ; or le solde des transferts budgétaires (défini comme la différence entre les charges de financement de l'État au budget communautaire et les dépenses effectuées en sa faveur) est négatif pour ces trois États. C'est pourquoi, depuis son adhésion, l'Angleterre conteste la part qu'elle doit verser au budget communautaire. Elle estime que celle-ci ne correspond pas à ce que devrait être sa contribution si l'on prenait en considération son PIB. Les autres États ont reconnu cet état de fait. Ils ont accepté de mettre en place à son profit depuis 1980 un *système de compensation financière*.

Ce système comporte *deux aspects* : il s'agit, d'une part, de *verser sans conditions à la Grande-Bretagne des sommes* dont le montant précis est d'ailleurs fixé dans l'accord de 1980 et, d'autre part, *de créer de nouvelles dépenses* inscrites au budget qui doivent permettre de couvrir le solde de la compensation promise. Ces nouvelles dépenses correspondent à des aides au développement des infrastructures économiques et sociales dans des zones défavorisées. A titre d'exemple : en 1980, la contribution nette de la Grande-Bretagne aurait été sans mesures spécifiques de 1 784 millions d'Écus. Elle a été ramenée à 609 millions d'Écus, la différence (1 175 millions d'Écus) devant être prise en charge par les autres États membres.

Les exigences anglaises ont conduit la République fédérale d'Allemagne à demander, à son tour, à n'avoir pas à supporter le financement de sa compensation. Elle a obtenu gain de cause puisque sa contribution dans le budget 1983 et 1984 a été réduite de moitié. Une telle situation ne pouvait se perpétuer et une solution plus rationnelle au problème des situations budgétaires inéquitables devait être trouvée. C'est le sens d'une des parties les plus importantes des accords de Fontainebleau du 26 juin 1984, confirmés par la décision du Conseil du 7 mai 1985, d'après laquelle il a été décidé que « tout État membre supportant une charge budgétaire excessive au regard de sa prospérité relative est susceptible de bénéficier, le moment venu, d'une correction ». La base de la correction est l'écart entre la quote-part de paiement TVA et la quote-part dans les dépenses. Il a donc été décidé que, pour 1984, le Royaume-Uni recevrait une somme forfaitaire d'un milliard d'unités de compte et, à partir de 1985, 66 % de l'écart entre sa quote-part dans le versement TVA et sa quote-part dans les dépenses de la Communauté (soit 1,4 milliard d'UC pour 1985). Le principe de la compensation britannique a été maintenu dans les conclusions du Conseil de Bruxelles du 13 février 1987. Un système de correction identique a été mis en place par le traité d'adhésion du 12 juin 1985 en faveur de l'Espagne et du Portugal. Pendant une période de transition de six ans, ces deux pays vont bénéficier d'un mécanisme de restriction dégressive de la contribution TVA qu'ils devraient normalement verser (87 % des recettes de TVA en 1986). Dans un tel contexte financier, la recherche de nouvelles ressources apparaît comme un des problèmes les plus urgents de la Communauté aujourd'hui.

La réforme du système des ressources propres

Depuis 1983, la recherche de nouvelles ressources a été, à plusieurs reprises, effectuée. La Commission des Communautés (dans son livre vert sur le financement futur des Communautés du 5 mai 1983) avait proposé la création d'une taxe sur la consommation non industrielle d'énergie, ou d'une taxe sur les matières grasses. Certains économistes [9] ont même proposé d'utiliser l'emprunt en vue de relancer l'économie européenne. En définitive, la seule mesure effective a été l'augmentation du pourcentage de TVA versé à la Communauté, qui est passé de 1 % à 1,4 %, mesure demandée au Conseil européen de Fontainebleau de 1984, et appliquée à compter du 1er janvier 1986. Mais, au moment de son application, ce taux était déjà insuffisant (il aurait dû être de 1,6 %). Et ce n'est qu'au prix d'expédients que la Communauté a pu faire face à ses dépenses jusqu'en 1987. Dans la communication qu'elle a présentée au Conseil en février 1987 (« Réussir l'Acte unique : une nouvelle frontière pour l'Europe), la Commission a insisté sur la nécessité d'une réforme financière, qui puisse assurer la stabilité budgétaire de la Communauté au moins jusqu'en 1992. Cette réforme a été réalisée lors du Conseil européen de Bruxelles de février 1988, et traduite dans la décision du Conseil des ministres du 24 juin 1988.

Les deux principales innovations concernent le niveau des ressources et leur origine. Désormais, le montant global des ressources ne peut dépasser, pour chacune des années de la période 1988-1992, un certain pourcentage du total du PNB de la Communauté, établi pour l'année en question. Ce pourcentage est fixé à 1,20 % du total du PNB pour les crédits de paiement. D'autre part, et surtout, la décision du Conseil crée, à côté des trois ressources désormais traditionnelles (droits de douane, prélèvements agricoles et 1,4 % de la TVA), une quatrième ressource propre indexée sur le PNB. Il s'est révélé, en effet, que les trois ressources d'origine ne pouvaient guère progresser. Les droits à l'importation n'ont cessé de baisser en raison des accords internationaux entre la Communauté et les États tiers. Les droits résultant des prélèvements agricoles stagnent en raison de l'autosuffisance alimentaire de la Communauté. Enfin, la TVA, elle-même, croît beaucoup plus lentement que l'activité économique de la Communauté. La quatrième ressource sera le résultat d'un taux à fixer dans le cadre de la procédure budgétaire applicable à une assiette représentant la somme des PNB des États, l'objectif étant de mieux indexer l'évolution des ressources communautaires sur l'évolution de la vie économique réelle de la communauté. Ainsi l'Europe voit son action garantie au moins jusqu'en 1992. Ce qui était d'autant plus nécessaire que le contexte dans lequel elle se trouvait était difficile.

Mais la réalisation effective du Grand Marché en 1993 et l'application des accords de Maastricht nécessiteront un réexamen du financement des Communautés. Ainsi, pour assurer la cohésion économique et sociale sans laquelle l'ouverture des frontières aurait des conséquences catastrophiques, les accords de Maastricht, dans un protocole additionnel, prévoient la création d'un « fonds de cohésion » pour aider les régions les plus pauvres de la Communauté en matière d'environnement et d'infrastructures de transport, ainsi qu'une augmentation des fonds structurels pour la période 1993-1997.

III / La situation économique de la CEE

La CEE assure aujourd'hui environ le cinquième de la production mondiale : elle représente, derrière les États-Unis (25 %) et le Japon (10 %) la deuxième zone économique mondiale. Plus encore, l'effet de tertiarisation des économies y est particulièrement marqué : la production industrielle ne représente que 40 % du PIB des quatre grands pays membres, soit une proportion équivalente à celle du Japon, alors que la même part n'est que de 30 % pour les États-Unis. Mais la situation économique de la CEE est également caractérisée par sa position commerciale et financière internationale. Ses capacités d'adaptation et d'initiative en dépendent, en matière technologique comme dans le domaine industriel en général. Mais les mouvements de l'ensemble communautaire dépendent avant tout de la manière dont les États membres se différencient les uns des autres et des relations de cohérence qui les enchaînent les uns aux autres. Ces dernières relations sont puissantes ; elles forment l'enjeu essentiel de l'Union économique et monétaire (UEM).

1. La place de la CEE dans le monde

Les rapports commerciaux et financiers

Le dynamisme commercial de la CEE se caractérise d'abord par l'importance du commerce extérieur de ses membres : 25 % environ de leur produit intérieur brut. Les dis-

59

parités entre États membres sont cependant importantes : les économies de petite dimension sont, par nécessité, davantage tournées vers l'extérieur (le taux est de 75 % pour l'Union belgo-luxembourgeoise). Au total, le poids de la CEE dans les échanges commerciaux mondiaux (soit 20 % du total) est sensiblement plus élevé que son poids dans la production mondiale, ce qui en fait la première puissance commerciale du monde, avant les États-Unis et le Japon.

Exprimés en Écu et depuis 1958, les échanges entre la CEE et le reste du monde ont été multipliés par 16 en valeur nominale, mais seulement par 3 en volume, c'est-à-dire en tenant compte des effets de l'inflation et des fluctuations monétaires. Au cours de la même période, les échanges entre pays membres de la CEE ont été multipliés par 37 en valeur nominale, soit par 8 en volume.

Si la CEE demeure aujourd'hui la première puissance commerciale du monde, on constate sur la longue période un recul de l'influence économique de la zone : sa part dans les échanges mondiaux hors échanges intra-CEE a diminué depuis trente ans (23 % en 1958 contre 20 % aujourd'hui) en raison de la montée en puissance d'autres pays industriels ou en développement [16].

Comment interpréter les origines de ces modifications ? S'agit-il d'une évolution des facteurs physiques ou de modifications dont l'origine est réglementaire ? La constitution d'une union douanière intensifie le trafic commercial entre les pays membres, du fait de l'élimination progressive des droits de douane et de la constitution d'un vaste marché. Par ailleurs, l'établissement d'une discrimination tarifaire a pénalisé les pays non membres. Jusqu'au début de la dernière décennie, par ses effets d'unification et d'élargissement du marché, l'union douanière a très largement contribué à la réalisation d'une croissance économique à rythme élevé. Le pari est aujourd'hui fait que l'élimination des obstacles non tarifaires peut relancer cette croissance.

Les États-Unis ont toutefois atténué, voire renversé, les effets défavorables correspondant à cette nouvelle situation. La transnationalisation de leurs firmes sur l'espace européen — production sur place — a permis de compenser le recul des exportations. La constitution de la CEE présentait en outre, à son origine, un intérêt politique non négligeable : le renforcement de l'Europe occidentale face aux pays socialistes de l'Europe de l'Est. En définitive, ce sont les pays d'Europe non membres, le Japon, les pays du Commonwealth et de l'hémisphère sud qui supportèrent le plus les effets défavorables de l'institution de l'union douanière.

Pour juger de la *qualité* de la position de la CEE, il faut analyser la structure des échanges commerciaux par zone géographique et par grandes catégories de produits. Les pays industrialisés d'Europe et d'Amérique du Nord sont aujourd'hui les principaux partenaires commerciaux de la CEE (55 % du total). Dans cet ensemble, l'Association européenne de libre-échange (AELE), composée à l'origine (1959) de la Grande-Bretagne, de la Norvège, de la Suède, de la Finlande, de l'Islande, de l'Irlande, du Danemark, de la Suisse, de l'Autriche et du Portugal (qui est réduite au groupe Norvège-Suisse-Autriche-Suède-Finlande-Islande depuis 1986), est le premier client et fournisseur de la CEE (25 % du total des échanges). Les transactions commerciales avec cette zone réduite dégagent encore un solde favorable à la CEE. Vient ensuite l'Amérique du Nord, et principalement les États-Unis vis-à-vis desquels la position commerciale est globalement équilibrée, mais dont le solde annuel est largement sensible aux mouvements de change du dollar contre les monnaies européennes. Le Japon, en revanche, accumule les excédents systématiques sur l'Europe (5 % des échanges).

Comme le montre le tableau VII, les pays en voie de développement représentent aujourd'hui plus de 30 % du commerce international de la CEE. Le solde commercial est structurellement déficitaire et il faut noter le poids relativement faible des pays dits « ACP » (66 pays d'Afrique, des Caraïbes et du Pacifique) rattachés à la CEE par des accords de coopération.

Les pays de l'OPEP ont un rôle modeste et la dépendance énergétique de la Communauté s'atténue. Si on la mesure en rapportant les importations de produits énergétiques à la consommation totale de cette catégorie de produit, on constate qu'elle était de 62 % en 1973 alors qu'elle est de 40 % environ aujourd'hui.

Les autres pays en développement, c'est-à-dire ceux avec lesquels la CEE ne commerce ni pour des raisons de contrainte d'approvisionnement énergétique, ni pour des

Tableau VI. — Structure des échanges de la CEE
avec le reste du monde

Pays ou zones	Répartition géographique des exportations extra-CEE (% du total)		Répartition géographique des importations extra-CEE (% du total)	
	1958	1989	1958	1989
Pays industrialisés dont :	49,5	60,5	48,6	60,5
AELE	(19,5)	(32,2)	(14,4)	(31,1)
États-Unis	(12,5)	(16,0)	(17,6)	(16,5)
Japon	—	(4,9)	—	(10,4)
Pays en développement dont :	43,6	31,4	45,6	31,1
Pays ACP	(9,5)	(4,9)	(9,5)	(7,0)
OPEP	(12,1)	(8,7)	(16,7)	(9,4)
Pays à commerce d'État	6,9	8,1	5,8	8,4
TOTAL	100,0	100,0	100,0	100,0

Source : CEE.

motifs prioritaires de coopération et d'aide institutionnelle, représentent la moitié des échanges globaux avec le monde en développement.

Remarquons enfin le faible poids des échanges avec les pays à commerce d'État, largement dû à l'absence d'accord commercial général entre ces deux communautés.

L'éclatement du COMECON et la mise en place du programme PHARE (24 pays occidentaux dont les États membres de la CEE) en faveur des pays d'Europe centrale et orientale devraient renforcer les liens commerciaux entre la CEE et les ex-pays à commerce d'État. En dépit de l'absence d'une uniformisation intégrale des régimes nationaux d'importation en provenance de ces pays, la CEE recherche la libéralisation progressive des produits soumis à restrictions quantitatives, y compris vis-à-vis des Républiques de l'ex-Union soviétique. La création, en 1990, de la BERD (Banque européenne pour la reconstruction et le développement) relève aussi du même objectif.

La position commerciale nette globale de la CEE vis-à-vis du reste du monde, excédentaire entre 1984 et 1990, devient déficitaire dans les premières années de la décennie quatre-vingt-dix. Les excédents réalisés principalement sur l'AELE et quelques pays industrialisés sont surcompensés par les déficits enregistrés vis-à-vis des pays en développement, du Japon et des pays de l'Est.

Pour mieux comprendre cette situation, il faut examiner la composition des échanges extra-communautaires par produits. Le tableau VII présente cette analyse et l'évolution des taux de couverture commerciaux (couverture des dépenses d'importation par les recettes d'exportation). Le mouvement le plus significatif concerne la chute de l'excédent réalisé sur les biens d'équipement industriels. Le tableau VIII permet de comprendre le recul absolu de la CEE dans les produits pour lesquels la demande mondiale est forte.

TABLEAU VII. — TAUX DE COUVERTURE DES IMPORTATIONS
PAR LES EXPORTATIONS DE LA CEE
(en %)

Produits	1963	1973	1988
Produits agricoles et alimentaires	24	42	75
Produits combustibles, matières premières	19	16	20
Produits manufacturés	137	137	120
dont :			
— biens d'équipement (machines et matériel de transport)	341	245	132
— autres biens industriels	219	138	110

Source : CEE.

TABLEAU VIII. — TAUX DE COUVERTURE DE LA CEE
VIS-À-VIS DU RESTE DU MONDE
(en %)

	1970	1988
Produits à forte demande	169,9	102,5
Produits à demande moyenne	151,0	143,7
Produits à faible demande	84,2	93,3

Le rôle de ce secteur est fondamental pour l'incorporation des nouvelles technologies et pour leur diffusion à l'ensemble du système industriel. Son poids dans le commerce extérieur est aussi considérable puisqu'il représente 39 % des exportations de la CEE en 1988. Enfin, le secteur des biens d'équipement professionnels (construction mécanique et électrique, moyens de transport et armement pour l'essentiel) est le secteur lourd de l'industrie, le plus mécanisé et le plus sophistiqué. Il exige généralement une plus grande qualification de la main-d'œuvre et fournit les machines nécessaires à la production des équipements de l'ensemble du système de production.

La réduction de l'avantage acquis sur les biens d'équipement (phénomène encore plus marqué aux États-Unis) s'est opérée quasi exclusivement au bénéfice du Japon dont le taux de couverture sur cette catégorie de produit passe de 2,16 à 10,1 entre 1963 et 1986.

Ce qui est en cause aujourd'hui, c'est donc la place de la CEE dans l'économie mondiale. A plus long terme, c'est sa capacité à maîtriser et à diffuser le progrès technologique dans le reste du monde qui est en jeu.

La fragilité croissante de la position des pays de la CEE se constate aussi à l'examen des balances de paiements courants (balances commerciales auxquelles on adjoint les échanges de services et les transferts de revenus). Les positions se sont dégradées au cours de la décennie soixante-dix pour les pays déjà en situation précaire (Danemark, Irlande, France, Grande-Bretagne notamment) ou moins menacés (République fédérale d'Allemagne, Italie, Belgique). Les politiques désinflationnistes menées à la fin de cette décennie ont conduit à un recul d'activité et par là même à un rééquilibrage forcé, par compression des importations, des balances courantes de la plupart des pays. Seuls les Pays-Bas, l'Irlande, l'Union belgo-luxembourgeoise et la République fédérale d'Allemagne accumulent aujourd'hui à nouveau les excédents. La balance courante globale de la CEE, excédentaire depuis 1983, est à nouveau déficitaire depuis 1990.

La fragilité de la position courante mondiale de la CEE trouve sa contrepartie dans une dynamique insuffisante de l'investissement international : à titre d'exemple, et pour ne s'en tenir qu'aux relations entre les trois grands pôles mondiaux au cours de l'année 1986, le flux total d'investissements directs dans la CEE en provenance du Japon et des États-Unis s'élevait à 108 milliards de dollars contre un flux inverse de 81 milliards, soit un « taux de couverture » de 75 %, et ce en dépit d'un regain d'attractivité des investissements aux États-Unis en raison du change favorable du dollar.

De 1960 à 1970 : les investissements internationaux s'orientent vers l'Europe

La décennie soixante fut marquée par une orientation massive des investissements internationaux vers l'industrie européenne. Les firmes multinationales américaines ont joué à cette époque un rôle prépondérant en exportant, par le biais de leurs implantations en Europe, à la fois leur technologie et leur forme d'organisation de la production. Ainsi, paradoxalement, la constitution de l'espace économique de la CEE s'est trouvée largement déterminée et renforcée par l'implantation des filiales des grandes sociétés américaines (Ford, IBM, Kodak ou ITT, par exemple). En 1970, pour les industries de fabrication, la part de l'Europe comme zone d'accueil des investissements directs américains est encore de plus de 40 % du total. L'industrie des biens d'équipement était particulièrement concernée par ce processus qui a permis une forme d'alignement des normes techniques de production et des performances de la CEE sur le modèle américain.

La décennie soixante-dix a vu le maintien mais aussi les limites de cette tendance. L'industrie européenne reste le lieu privilégié des investissements internationaux (elle absorbe les deux tiers de ces investissements en 1980 contre la moitié en 1967) mais la part des investissements directs régresse et les États-Unis redeviennent une zone d'accueil privilégiée. La CEE y représente encore plus de la moitié du stock total d'investissements directs*.

---

* Voir dans la collection « Repères », Wladimir ANDREFF, *Les Multinationales*, 1987.

Les résultats commerciaux et financiers précédemment évoqués s'inscrivent dans un contexte mondial marqué depuis plus d'une décennie par la conjonction de trois processus qui menacent l'Europe.

• *Premier défi :* le renforcement de la puissance industrielle du Japon et l'émergence de nouveaux pays industrialisés (NPI). Résister à cette poussée et développer les industries nouvelles et de haute technologie seront des tâches difficiles si l'on doit maintenir les politiques d'austérité.

• *Deuxième défi :* restaurer les grandes industries traditionnelles (sidérurgie, textile, automobile notamment), qui assuraient antérieurement la puissance de l'Europe. La sauvegarde de ces industries implique des choix rapides et cohérents, des restructurations et la rationalisation de la production. Elle exige aussi et surtout des respécialisations fines à l'intérieur de ces industries, sur les créneaux les plus porteurs du point de vue international.

• *Troisième défi :* l'émergence et la première diffusion des technologies nouvelles. Elles sont censées renouveler radicalement les bases du développement industriel (électronique, informatique, communication, bio-activité, aérospatiale en particulier) et la CEE apparaît là aussi, dans certains cas, en position délicate. Une coopération accrue et le regroupement des activités de recherche renforceraient la compétitivité.

TABLEAU IX. — LES ÉCHANGES
DE PRODUITS DE HAUTE TECHNOLOGIE

		1963	1986
Part des exportations de produits de haute technologie dans le total des exportations industrielles (%)	CEE	23	13
	États-Unis	29	26
	Japon	16	24
Taux de couverture des échanges de produits de haute technologie pour la CEE (%)	Vis-à-vis des États-Unis	88,8	47,1
	Vis-à-vis du Japon	200,0	11,3

Source : CEE.

	1970	1975	1980	1986
Europe des Douze				
Produits pharmaceutiques	0,581	0,557	0,573	0,427
Équipements informatiques et bureautiques.................	− 0,085	− 0,103	− 0,169	− 0,327
Équipements de télécom. et instruments de précision	0,254	0,314	0,313	0,144
Électronique..................	0,210	0,111	− 0,103	− 0,248
Industrie aéronautique	− 0,257	0,061	0,088	0,110
États-Unis				
Produits pharmaceutiques	NA	0,777	0,570	0,467
Équipements informatiques et bureautiques.................	NA	0,360	0,620	0,395
Équipements de télécom. et instruments de précision	NA	0,483	0,581	0,383
Électronique..................	NA	− 0,137	− 0,059	− 0,168
Industrie aéronautique	NA	0,782	0,517	0,568
Japon				
Produits pharmaceutiques	− 0,633	− 0,071	− 0,714	− 0,783
Équipements informatiques et bureautiques.................	− 0,017	0,229	0,409	0,581
Équipements de télécom. et instruments de précision	0,163	0,344	0,333	0,370
Électronique..................	0,812	0,817	0,859	0,794
Industrie aéronautique	− 0,815	− 0,894	− 0,856	− 0,908

* Cet indice peut varier entre + 1 (lorsque le pays n'importe pas du tout le produit en question) à − 1 (lorsque le pays n'exporte pas le produit). Dans le premier cas, le pays possède un avantage comparé plus important pour le produit en question *par rapport aux autres produits*; dans le second, l'industrie est en situation de désavantage comparé très important. Cet indice n'a donc de sens que pour les comparaisons de secteurs d'une même économie, les comparaisons entre pays n'ont en revanche pas de signification.

L'industrie européenne demeure trop largement engagée sur des productions dont la technologie, aujourd'hui banalisée pour l'essentiel, ne permet plus d'assurer la maîtrise mondiale des marchés et de bénéficier d'effets de domination. La CEE subit dès lors de plein fouet l'incidence des écarts internationaux de compétitivité, aussi bien en termes de prix que de technologie. Sa forte ouverture sur le monde renforce d'autant les risques associés à une telle situation [17, 18].

Deux constats essentiels marquent la fragilité de la position internationale de l'industrie européenne :

— *les exportations communautaires sont insuffisamment spécialisées ;*

— *la qualité globale de la spécialisation régresse,* tant pour les productions stratégiques, associant l'utilisation de hautes technologies à l'emploi de main-d'œuvre très qualifiée que pour les productions de technologie moyenne.

L'industrie européenne, dépendante de la compétitivité de ses prix, est très sensible à la productivité de l'industrie. Or, l'affaiblissement des taux d'investissement depuis la dernière décennie a limité la hausse de la productivité du travail. Cela a réduit d'autant les effets susceptibles d'infléchir le niveau des coûts salariaux par unité produite et le prix des produits européens.

TABLEAU XI. — PRODUCTIVITÉ DU TRAVAIL DU SECTEUR MANUFACTURIER : TAUX DE CROISSANCE ANNUEL MOYEN

	1955-1973	*1973-1980*	*1979-1988*
États-Unis	2,9	1,3	4,0
Japon [1]	11,4	6,6	3,7
France	6,1	4,4	3,0
Allemagne [1]	5,5	4,6	2,9
Royaume-Uni	3,9	1,6	4,2
1. 1952-1973.			

Source : OCDE.

2. Différences nationales et effets d'intégration dans la CEE

Des croissances nettement différenciées

Les pays de la CEE s'insèrent différemment dans l'économie mondiale. Les contrastes entre les performances enregistrées traduisent une grande hétérogénéité de leurs formes respectives de compétitivité. Cela tient au type de spécialisation industrielle et aux dynamiques de croissance et de régulation macro-économiques mis en œuvre par chaque gouvernement.

Globalement, tous les pays membres ont aujourd'hui une activité commerciale privilégiant le commerce intra-européen et sont avant tout, quoique à des degrés divers, des exportateurs industriels.

Il en résulte cependant une grande diversité de situations en termes de balance des paiements courants. Au seuil de la décennie quatre-vingt-dix, la structure des excédents/déficits reflète très largement la force respective des États membres qui ont subi, mais géré différemment, les grandes ruptures de la décennie précédente. Au total, les excédents des uns compensent à peu près les déficits des autres.

Les économies de dimension modeste (Luxembourg, Danemark, Pays-Bas, Belgique, Irlande, Grèce, Espagne, Portugal) subissent, beaucoup plus qu'elles n'animent, le processus de développement de l'ensemble communautaire. Les économies dominantes (France, Royaume-Uni, Italie), par leur poids et leur dynamique propre, sont en mesure d'influer de façon décisive sur la position et la cohérence de l'ensemble. L'économie surdominante (Allemagne), par son importance internationale, sa souplesse et ses capacités d'adaptation, et donc par les contraintes qu'elle est en mesure d'imposer, organise autour d'elle-même l'activité de ses partenaires européens.

Si l'on insiste sur l'articulation entre les conditions de la croissance interne et les mouvements de la position internationale de ces économies, l'évolution des principaux pays peut être résumée comme suit [22].

En Allemagne, la bonne qualité de la spécialisation industrielle (principalement en ce qui concerne les biens d'équipement) est associée à une politique de monnaie forte. La maîtrise du marché intérieur par les producteurs nationaux et la qualité de leurs positions sur les marchés étrangers permettent d'assurer le succès d'une telle politique.

La forte rentabilité de l'industrie assure l'entretien d'un flux régulier d'investissements productifs. Cela s'inscrit dans un contexte de croissance lente, où la progression de la demande intérieure est limitée par une politique vigilante à l'égard du développement des tendances inflationnistes.

Cependant, la faiblesse relative de la croissance, combinée à l'importance de l'investissement intensif (libérant de la main-d'œuvre par rationalisation de la production), engendre une stagnation de l'emploi industriel. La monnaie forte a ici une influence positive sur le compte extérieur. Elle renforce les excédents commerciaux (les exportations stratégiques de l'Allemagne sont compétitives avant tout en termes de technologie et non de prix) tout en alimentant les forces désinflationnistes internes (par la compression du prix, converti en marks, des importations allemandes).

Alors que la RFA semblait, au milieu de la décennie quatre-vingt, vouée à la croissante lente, la reprise d'activité nettement amorcée en 1988 s'est accentuée à partir de 1990 : l'ouest de l'Allemagne est devenu le « maillot jaune » de la croissance en Europe. Ce renouveau repose notamment sur une expansion budgétaire marquée, permise par les importantes réserves accumulées par la RFA grâce à ses excédents courants de la fin des années quatre-vingt. L'impact des transferts vers l'ex-RDA l'emporte largement sur celui des mesures restrictives : augmentation des impôts ou réduction des dépenses publiques dans les anciens Länder. Deux effets atténuent toutefois l'impact de la relance budgétaire et pèsent sur le rythme de la croissance future : l'appréciation du mark et la perte de parts de marché par l'ex-RFA à l'étranger, compte tenu de capacités de production insuffisantes pour répondre au surcroît de demande émanant des nouveaux Länder.

Au Royaume-Uni, la mauvaise qualité de la spécialisation de l'industrie se traduit par des reculs de productivité qu'accentue le désinvestissement (réduction des équipements). La pénétration croissante du marché intérieur par les concurrents étrangers, le recul des positions commerciales internationales résultent pour partie de la détérioration de la qualité de la spécialisation et pour partie de la surévaluation périodique de la livre sterling. On retrouve cette évolution à la fin de la décennie soixante-dix : elle s'explique par le nouveau statut de la monnaie — pétro-monnaie — et par la politique de désinflation brutale menée à partir de 1980. Ce type de mesures a entraîné une augmentation sensible du chômage, un recul de la rentabilité dans l'industrie accentuant davantage l'anémie de l'investissement productif.

L'assouplissement de la politique monétaire à partir de 1983, la dépréciation progressive de la livre et la politique d'allégements fiscaux ont permis une reprise d'activité qui, au-delà des gains de productivité et du redressement de la rentabilité des entreprises, a permis un redémarrage de l'investissement industriel. Le taux d'investissement demeure toutefois inférieur à celui des autres pays européens ; en outre, le redéploiement sectoriel du capital n'est guère conforme aux performances extérieures des secteurs. Au total, la plupart des handicaps structurels demeurent. L'entrée de la livre dans le mécanisme du SME en octobre 1990 représente toutefois un facteur de stabilisation plutôt favorable à l'industrie britannique, compte tenu du rôle particulier de la City et de la place du pétrole dans l'économie.

En Italie, l'exceptionnelle souplesse de la spécialisation des industries de biens de consommation est associée à une monnaie faible et à une inflation interne encore relativement forte. Cela permet d'assurer une position satisfaisante mais hautement précaire de ces industries sur les marchés extérieurs où elle affronte la concurrence des nouveaux pays industrialisés. En revanche, l'essor récent de certaines industries de biens d'équipement (machines en particulier), pour lesquelles l'Italie bénéficie d'une avance technologique favorable combinée à une compétitivité-prix également favorable, assure des excédents extérieurs plus stables. Néanmoins, le marché industriel intérieur est largement pénétré (par les concurrents européens notamment) et l'est d'autant plus que la *croissance rapide du secteur non officiel* (l'économie « souterraine ») tend à développer cumulativement les importations. Le dynamisme de l'investissement dans les industries de consommation, dans certaines industries d'équipement et dans le secteur non officiel s'accompagne de créations d'emplois (souvent précaires) qui limitent néanmoins l'accroissement du chômage issu des autres secteurs. A plus long terme, cependant, l'insuffisance de l'effort de recherche et développement peut constituer un handicap pour faire progresser l'industrie italienne dans la hiérarchie des systèmes productifs.

La situation de l'industrie *française* a quelque chose de paradoxal. Alors que, dans bien des domaines (taux d'investissement, coûts unitaires de production, notamment), son évolution apparaît moyenne et comparable à celle de ses partenaires européens, y compris allemand, ses performances en termes de croissance et de solde industriel ont tendance à se dégrader. Trois séries de facteurs peuvent être mises en avant pour expliquer les résultats de l'industrie française : tout d'abord, dans la stratégie de redéploiement industriel mise en œuvre après le premier choc pétrolier, les secteurs des biens d'équipement ont été trop privilégiés au détriment des biens de consommation trop rapidement considérés comme condamnés. De même l'industrie française a souffert d'une insuffisance de structures intermédiaires permettant d'établir des liens plus solidaires entre les producteurs et leurs partenaires. Ensuite, la spécialisation géographique des échanges extérieurs n'est pas opportune : une des caractéristiques des échanges industriels français est d'être déficitaire vis-à-vis des pays industrialisés et excédentaire vis-à-vis des pays en développement. La réduction de l'excédent sur ces derniers, au cours de la dernière décennie, s'est accompagnée d'un accroissement de la dépendance technologique vis-à-vis du Japon et des États-Unis, ce qui a contribué à dégrader les échanges avec ces pays, alors que le déficit industriel vis-à-vis des partenaires de la CEE demeure jusqu'à présent la règle. Enfin, la politique du franc fort, mise en place depuis 1978 et prolongée par la création du SME en 1979, a également contribué jusqu'à présent à dégrader les échanges avec la CEE et notamment avec l'Allemagne. Les besoins d'importations de l'Allemagne, liés à la réunification en cours, interrompent (momentanément ?) cette tendance.

Avec le renforcement de la concurrence internationale, l'intégration économique des pays de la CEE paraît malaisée à mettre en œuvre. Pourtant, elle s'est globalement renforcée, ce qui permet de penser que des influences réciproques ont joué. Les contraintes de change imposées par le SME n'y sont pas étrangères.

Une complémentarité croissante

Le développement économique de l'Europe au cours des deux premières décennies montre que, par des voies diverses, les dynamiques de croissance et de régulation ont conduit à une complémentarité croissante entre États membres. Cependant, les processus de spécialisation qui prévalent au sein de l'union jouent davantage à l'intérieur des branches d'activité qu'entre celles-ci. Initialement, les membres de la CEE étaient des pays à niveau de développement comparable, dotés d'industries constituées de longue date, sans disparités fondamentales en ressources et facteurs de production. La volonté des États de préserver leur indépendance économique les a conduits à ne jamais sacrifier totalement des branches de l'industrie. C'est donc nécessairement à l'intérieur de celles-ci que se sont progressivement reconstituées les spécialisations nationales (sidérurgie, chimie, construction mécanique et électrique, transport) (tableau XII).

TABLEAU XII. — PART DES ÉCHANGES INTRABRANCHE
DANS LE COMMERCE INTRACOMMUNAUTAIRE
(en % du total des échanges)

	1970	1980	1987
Belgique/Luxembourg	69	76	77
Danemark	41	52	57
Allemagne	73	78	76
Grèce	22	24	31
Espagne	35	57	64
France	76	83	83
Irlande	36	61	62
Italie	63	55	57
Pays-Bas	67	73	76
Portugal	23	32	37
Royaume-Uni	74	81	77

Source : Services de la Commission.

Il faut cependant souligner qu'au niveau des résultats globaux les positions extérieures des pays de la CEE apparaissent pour le moins contrastées. Ces résultats s'expliquent par la logique de spécialisation qui a été adoptée. Les excédents proviennent des pôles de compétitivité que des pays ont développés sur certains secteurs. C'est notamment le cas de la République fédérale d'Allemagne, qui s'est assuré un avantage déterminant dans les domaines de la mécanique générale, des machines mécaniques et du matériel de transport.

Cela induit des effets d'entraînement pour les autres activités productives.

Les soldes négatifs qu'enregistrent l'Espagne, l'Italie et le Royaume-Uni traduisent les difficultés d'adaptation de ces pays aux changements de la demande. Cela concerne essentiellement le matériel informatique, les produits de l'électronique grand public et le matériel de précision. Les pôles de compétitivité industrielle de ces nations, plus ou moins étroits, se sont révélés insuffisamment puissants ou insuffisamment adaptés au marché européen, pour compenser le déficit.

Monnaie : un dollar qui perturbe l'Europe*

Le développement de l'intégration commerciale ne s'est pas accompagné d'un accroissement équivalent de l'intégration financière et l'identité de l'espace financier européen reste à constituer. La dépendance demeure fondamentale, tant sur les plans monétaire que financier, vis-à-vis de l'économie américaine. Cette absence d'autonomie est liée à l'inexistence d'un véritable « écran » monétaire européen. Parce que le dollar est à la fois la monnaie des États-Unis et le moyen quasi exclusif des règlements internationaux, l'Europe subit en permanence les vicissitudes de la régulation monétaire d'outre-Atlantique. Comme chaque pays n'affronte pas les mêmes contraintes et se situe de manière spécifique vis-à-vis des États-Unis, la cohésion monétaire européenne est sans cesse menacée [23].

Les difficultés de l'économie américaine, la remise en cause du rôle exclusif du dollar comme monnaie de réserve internationale au début de la décennie soixante-dix ont eu pour corollaire un intense mouvement de reflux des capitaux, et leurs détenteurs ont recherché notamment en Europe des monnaies refuges. Ainsi, à l'initiative des opérateurs internationaux, une relation privilégiée s'est établie entre le dollar et le mark : la dépréciation du dollar signifiant l'appréciation du mark et inversement.

* Voir, dans la collection « Repères », Monique FOUET, *Le Dollar*, nouvelle édition, 1989. Dans la même collection, Jean-Pierre PATAT, *L'Europe monétaire*, 1990 ; et Dominique PLIHON, *Les Taux de change*, 1991.

L'existence de ce rapport privilégié entre le dollar et l'une des monnaies nationales de la CEE a entraîné depuis la dernière décennie d'insupportables tensions sur les taux de change des monnaies en Europe et particulièrement au niveau des rapports entre le franc français et le mark. Or, ces tensions apparaissent au moment même où, face à la crise de la monnaie américaine, se constituait en 1972 un embryon de zone européenne de stabilité monétaire : Le « serpent monétaire européen ».

L'influence de la politique monétaire américaine sur le franc français s'exerce indirectement par l'intermédiaire de la politique ouest-allemande vis-à-vis du dollar. Toute pression à la hausse du mark (due à des afflux de capitaux ou à une hausse des taux d'intérêt en République fédérale d'Allemagne) entraîne des tensions sur le taux de change franc-mark, souvent excessives par rapport à ce que justifierait la différence de compétitivité entre les deux pays. D'autre part, la France n'a pas toujours été en mesure de respecter la parité officiellement instituée par rapport au mark. Il fallait en conséquence sortir du serpent monétaire, c'est-à-dire renoncer au flottement conjoint et limité des monnaies européennes. Depuis l'institution du système monétaire européen en 1979, on procède à des « réalignements monétaires » ; cette forme multilatérale d'ajustement des taux de change repose sur le principe d'une concertation préalable au jeu de dévaluations et réévaluations des monnaies.

Un dollar fort réduit les tensions sur les changes

Il semble *a priori* que la moins mauvaise des configurations de taux de change soit, pour l'Europe, celle où le dollar est fort. Cela permet de réduire les tensions sur les changes en Europe et concerne particulièrement le rapport du franc français au mark. La position commerciale de la France en est toutefois affectée.

En effet, la République fédérale d'Allemagne est le principal partenaire et concurrent de la France, sur le marché français comme sur les marchés tiers. Lorsque le dollar est fort et le mark faible, la compétitivité externe des produits ouest-allemands s'améliore, une substitution d'achats a lieu sur le marché français et les importations en provenance d'Allemagne s'intensifient. (Avec notamment dans ce cas un accroissement des achats de biens d'équipement qui se cumule avec la dépendance structurelle de la France à l'égard de l'Allemagne dans ce secteur.)

De plus, c'est avec des dollars que la France paie la majeure partie de ses approvisionnements pétroliers. La hausse du dollar a un effet direct d'élévation du prix des approvisionnements énergétiques. Comme la hausse des coûts se répercute sur les prix des produits, un dollar fort réduit aussi la compétitivité de l'industrie française.

Si, du point de vue européen et pour qu'il y ait stabilité des changes en Europe, la configuration la meilleure est celle qui associe un dollar fort à un mark faible, du point de vue de la France, la « bonne » combinaison est celle qui associe un mark fort au dollar faible.

Solidarité européenne ou jeu solitaire ? Pour résoudre un tel dilemme, il faudrait que l'Europe puisse s'affranchir des perturbations d'origine extra-européenne. La valeur des monnaies ne dépendrait plus alors que de la qualité relative des spécialisations des différentes économies. Or, l'Europe subit directement les conséquences de la politique monétaire américaine. Les banques centrales doivent corriger en permanence les évolutions de taux de change liées aux mouvements spéculatifs et aux variations des taux d'intérêt.

Le développement des fonctions monétaires de l'Écu (European Currency Unit) doit accompagner la constitution d'un espace européen des capitaux. C'est une nécessité d'avenir qui doit logiquement conditionner toute réorganisation industrielle cohérente de l'Europe au moyen du redéploiement de ses propres firmes. Le processus d'intégration financière doit concerner tout à la fois la mobilisation, la circulation et l'allocation des ressources au sein de la CEE. Cela suppose que soient levés les obstacles liés aux différences de régimes fiscaux des États membres, et que soit promue, au-delà des instruments financiers communautaires, une coordination effective des politiques de régulation appliquées aux marchés financiers. C'est l'un des enjeux de la progression vers l'Union économique et monétaire de l'Europe.

Au cours des années soixante et jusqu'au premier choc pétrolier (1973-1974), les configurations nationales de croissance des économies européennes étaient liées entre elles par des effets régulateurs jouant dans le sens de la stabilisation réciproque. La croissance interne relativement forte des uns (France, Italie, par exemple) assurait, par leur dépendance à l'importation, le développement des secteurs d'exportation des autres (République fédérale d'Allemagne principalement). Les tendances récessionnistes étaient ainsi limitées. Par ailleurs, la faible inflation des pays à croissance modérée exerçait un puissant effet désinflationniste (par le jeu des prix de leurs exportations) sur les pays à croissance forte (marqués par des tendances récurrentes à l'accélération de l'inflation). Un tel déséquilibre a été maintenu au prix d'un ajustement périodique des taux de change (appréciation pour les uns, dépréciation pour les autres) qui limita les déséquilibres commerciaux.

Du premier choc pétrolier à l'aube des années quatre-vingt, on assiste à une dégénérescence progressive de ces configurations. Les caractères défavorables tendent désormais à l'emporter. Sous-produits des politiques restrictives de désinflation, l'appréciation structurelle du taux de change de la monnaie nationale et le freinage de l'investissement productif interne installent progressivement les pays à croissance faible (République fédérale d'Allemagne notamment) dans la « stagflation ». La croissance des autres (France, par exemple) se trouve rapidement hypothéquée par la montée des tensions inflationnistes issues du renchérissement des importations en provenance de partenaires dont la monnaie s'apprécie (les biens d'équipement importés de la République fédérale d'Allemagne en sont un bon exemple). Ces tensions sont ensuite diffusées au plan interne par le canal des indexations généralisées des revenus sur les prix et des prix sur les revenus, et elles débouchent tôt ou tard sur la mise en place de politiques de stabilisation. Ces politiques restrictives visent à refouler la dépréciation de la monnaie nationale, mais bloquent du même coup l'investissement et la croissance.

Certes, une telle évolution n'est pas spécifiquement européenne. Elle concerne également, mais dans une moindre mesure, les États-Unis et le Japon. Ainsi, en dépit de la politique du dollar fort et de taux d'intérêt élevés aux États-Unis au début de l'actuelle décennie, la croissance américaine s'est faite à un rythme supérieur à celui de l'Europe. Quant au Japon, si sa croissance annuelle moyenne a été divisée par deux entre les années soixante et les années soixante-dix, il réalise encore dans les années quatre-vingt une croissance deux fois plus rapide que celle de l'Europe.

La tendance à l'uniformisation des conjonctures nationales en Europe, au début de la décennie quatre-vingt-dix, traduit une sorte de cohérence de crise des pays de la CEE : lenteur de la croissance insuffisante des taux d'investissement, niveau élevé du chômage, recul marqué de l'inflation. Dans cette dynamique à tendance déflationniste, la République fédérale d'Allemagne fait figure d'exception : l'impact de la réunification favorise la croissance et l'investissement productif, mais accentue également les tensions inflationnistes qui conduisent à la mise en œuvre d'une politique monétaire très restrictive. Ces évolutions renforcent d'autant les contraintes transmises à ses partenaires privilégiés et posent plus que jamais le problème de développement de la coopération économique en Europe. La réponse aux difficultés et aux incertitudes contemporaines doit tenir bien plus à la coordination des politiques nationales et à la coopération sous la forme de l'essor des politiques communes que les États membres sont à même d'initier ou de développer qu'à l'attente d'hypothétiques impulsions favorables provenant de l'extérieur [24].

Les conséquences du déclin démographique

Au-delà de l'économique au sens le plus strict, et à plus long terme, l'avenir de l'Europe dépend de ses perspectives démographiques. De ce point de vue, même si demeure une certaine diversité, la tendance générale est la stagnation.

D'ici à la fin du siècle :
— on assistera à un recul important de la part de la population européenne dans la population mondiale. Cette part, qui était de 6 % en 1982, serait alors de 4,5 % en l'an 2000 (et de 3,3 % en 2025) ;
— on verra croître l'effectif des groupes les plus âgés (en 1985, 13,5 % de la population de la CEE ont soixante-cinq

Population (a) (milliers)		Taux		
		Natalité (b) p. 1 000 hab.	Mortalité (b) p. 1 000 hab.	Accroissement naturel % par an
RFA	61 066	10,3	11,5	− 0,12
Belgique	9 862	11,9	11,2	0,07
Danemark	5 121	10,8	11,3	− 0,05
Espagne	38 668	12,1	7,7	0,44
France	55 394	14,1	9,9	0,42
Grèce	9 966	11,3	9,2	0,21
Irlande	3 541	17,3	9,5	0,78
Italie	52 246	9,7	9,5	0,02
Luxembourg	370	11,7	10,7	0,10
Pays-Bas	14 572	12,7	8,6	0,41
Portugal	10 208	12,4	9,4	0,30
Royaume-Uni	56 763	13,3	11,7	0,16
Europe des Douze	*322 776*	*11,9*	*9,1*	*0,28*
URSS	280 140	19,4	10,6	0,88
États-Unis	241 600	15,5	8,7	0,68
Japon	121 490	11,5	6,2	0,53
Monde	4 917 000	26	10	1,6

(a) Moyenne 1986, sauf : Irlande et Luxembourg (31 décembre), Grèce et Royaume-Uni (30 juin).
(b) 1984 pour l'Espagne, 1985 pour l'URSS.

Source : Eurostat [1], p. 36.

ans et plus) sans que cette croissance ne soit jamais compensée par celle des groupes moins âgés (toutefois, 20 % de la population de la CEE ont moins de quatorze ans). Cette tendance, qui se retrouve à l'échelle mondiale en raison de l'allongement de l'espérance de vie, touche tout particulièrement les pays industrialisés et singulièrement l'Europe. Cette évolution conditionne la capacité de cette zone à maintenir son poids et son indépendance au sein de l'espace mondial.

Les charges sociales s'alourdiront inévitablement puisque le groupe qui supporte le financement des budgets sociaux diminuera. Son effectif en 1985 — groupe d'âge intermé-

diaire constituant la population active — représentait 67 %
de la population totale de la CEE.

Les coûts de la non-Europe et le Grand Marché intérieur

Le rapport Cecchini (1988) voit dans l'achèvement du
Grand Marché intérieur le moyen de produire un effet global d'amélioration de l'efficacité du tissu productif communautaire et notamment de la productivité globale des facteurs
mis en œuvre.

Par essence, ces effets sont de nature micro-économique :
ils se regroupent en une meilleure allocation des ressources
du fait de la mobilité accrue des facteurs de production, la
réalisation d'économies d'échelle appréciables liées à la restructuration du tissu productif, la dynamisation des comportements d'entreprise en raison de l'intensification de la
concurrence.

PRINCIPAUX MÉCANISMES MACROÉCONOMIQUES
MIS EN ŒUVRE PAR L'ACHÈVEMENT DU MARCHÉ INTÉRIEUR

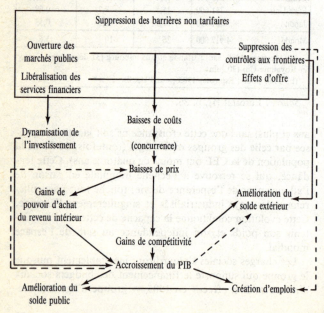

Les coûts de la non-Europe sont de la nature d'un manque à gagner, ce dernier étant évalué par l'estimation des effets globaux d'un supplément de croissance résultant de l'élimination des entraves. Le cloisonnement actuel de l'économie européenne et sa faible compétitivité sur de nombreux marchés impliquent qu'il existe une importante marge pour rationaliser la production et les structures de distribution, ce qui conduira à des améliorations de la productivité et à des réductions de nombreux coûts et prix. Par son ampleur, cet impact en termes de potentiel supplémentaire de croissance non inflationniste apporterait, dans l'estimation actuelle, un gain économique de 200 milliards d'Écus par an (aux prix de 1988) et la création de 5 millions d'emplois nouveaux [19, 20].

Le *Livre blanc* (1985) sur l'achèvement du Grand Marché intérieur (GMI) suggère un nouveau mode de mise en concurrence sur l'espace européen : la reconnaissance mutuelle des législations et des réglementations nationales, sous réserve de leur harmonisation minimale préalable. Dans ces conditions, la libre circulation des personnes, des marchandises, des services et des capitaux exige l'élimination des frontières physiques (contrôles aux frontières), techniques (harmonisation minimale des normes techniques et sanitaires) et fiscales (élimination de tous les facteurs fiscaux qui faussent la concurrence et créent des écarts de prix artificiels entre États membres, en particulier harmonisation des taux de TVA). Les avantages potentiels de la réalisation du GMI concernent plus particulièrement 40 secteurs industriels qui représentent plus de la moitié de la valeur ajoutée de la CEE et peuvent être regroupés en quatre catégories selon l'importance du commerce intra-CEE et les différences de prix existant pour des produits identiques (tableau XIV).

TABLEAU XIV. — LES SECTEURS INDUSTRIELS
LES PLUS CONCERNÉS PAR LE MARCHÉ INTÉRIEUR

	ÉCARTS DE PRIX ENTRE ÉTATS MEMBRES	
	faibles	*élevés*
INTENSITÉ DES ÉCHANGES COMMERCIAUX — *faible*	*Caractéristiques :* — secteurs soumis à la concurrence des NPI, — restructuration déjà en cours. *Exemples :* matériel électrique et électronique, chantiers navals.	**Marchés publics traditionnels ou très réglementés** *Caractéristiques :* — secteurs où la concurrence des importations intra et extra est faible, — concentration et économies d'échelle élevées, — restructuration prévisible avec 1992. *Exemples :* matériel pour la production d'énergie, matériel ferroviaire, produits pharmaceutiques.
INTENSITÉ DES ÉCHANGES COMMERCIAUX — *élevée*	**Secteurs de haute technologie liés aux marchés publics** *Caractéristiques :* — secteurs déjà en partie ouverts à la concurrence, — importance de l'ouverture sur l'extra-CE, — concentration et économies d'échelle élevées, — faible productivité des entreprises européennes face aux concurrents américains et japonais. *Exemples :* télécommunications, informatique.	**Produits à barrières non tarifaires moyennes** *Caractéristiques :* — secteurs fragmentés par la distribution et/ou le marketing, — différenciations nombreuses. *Exemples :* automobile, textile-habillement, chaussures, appareils électrodomestiques, télévision, vidéo, jouets.

Source : Services de la Commission.

IV / Les politiques économiques communes

En 1957, la réalisation d'un Marché commun unifié était un objectif de moyen terme et dès 1958 les États s'accordent afin d'agir sur les structures de production, la redistribution des ressources, la régulation de l'activité et pour promouvoir une politique internationale spécifique.

Certaines de ces politiques ont rapidement pris des formes concrètes. C'est notamment le cas de la politique agricole commune et de la politique régionale. L'évolution de la conjoncture internationale a accéléré certains processus et nous rendons compte des innovations monétaires qui renforcent l'assise de la CEE. Enfin, de nouvelles solidarités doivent se tisser là où l'Europe n'a pas encore de formes d'existence clairement définies.

L'intégration qui n'a pas été menée à bien au cours des années glorieuses doit être réalisée afin de maintenir la croissance et l'influence internationale de l'Europe. La crise de croissance accroît le coût d'une telle opération, mais rend aussi l'existence d'une identité d'intérêts plus évidente, en dépit des conflits récurrents concernant la coopération économique entre les partenaires européens. La mise en œuvre du traité d'Union économique et monétaire constitue l'enjeu stratégique primordial de l'actuelle décennie.

1. Les politiques constituées

La politique agricole commune (PAC)

En Europe, comme ailleurs, l'agriculture est un secteur important, à la fois original et en liaison étroite avec le reste de l'économie.

Elle a pour but principal de répondre à un besoin élémentaire et permanent des consommateurs. Une politique agricole efficace doit donc garantir à l'industrie alimentaire et au consommateur un approvisionnement suffisant et régulier, à des prix stables et raisonnables. Le consommateur européen y est d'autant plus intéressé qu'il consacre encore, en moyenne, 21 % de son budget à l'alimentation.

Elle joue un rôle fondamental dans le maintien de la vitalité socio-économique des zones rurales comme dans la sauvegarde des espaces naturels qu'elle exploite et entretient.

Elle constitue la source principale de revenus de 10 millions de travailleurs (8 % des actifs européens), à qui la situation économique actuelle n'offre guère d'alternative.

Les objectifs de la PAC : accroissement de la productivité et du revenu agricole, stabilisation des marchés et régulation des prix, sécurité des approvisionnements, et ses principes : libre circulation des produits, unité des marchés, préférence pour les produits CEE, solidarité financière, sont affirmés dès la signature du traité de Rome. C'est la première politique mise en œuvre au sein de la CEE, et c'est aussi la plus coûteuse. Elle absorbe aujourd'hui les deux tiers du budget communautaire [26, 27].

Elle concerne des ensembles agro-alimentaires nationaux profondément hétérogènes, aux stratégies opposées. Ainsi, le Royaume-Uni compte sur les agriculteurs des pays de son ancien empire pour s'approvisionner à bas prix. D'autres pays entendent trouver dans la CEE des débouchés assurés pour des produits dont le coût de production est relativement élevé (France, Pays-Bas, Italie), faible (Espagne). D'autres enfin (comme la République fédérale d'Allemagne) acceptent l'idée d'un auto-approvisionnement communautaire, mais à des prix voisins des cours mondiaux. En conséquence, les négociations annuelles pour les « campagnes agricoles » débouchent sur des compromis malaisés visant en permanence à limiter le coût global de la PAC tout en évitant son éclatement.

La diversité des stratégies correspond aux spécificités très marquées de chaque pays. La taille, le nombre et la répartition des exploitations, la structure de production, la spécialisation et les rendements sont très différents d'une nation à l'autre. Cette remarque s'applique d'ailleurs aussi à la dépendance extérieure de chaque économie. Il y a en revanche des traits communs qui concernent la baisse de l'emploi agricole, le vieillissement de la population, le coût élevé des terres et la hausse des coûts de production. Le tableau XV illustre quelques-unes de ces caractéristiques.

« Orientation » ou « garantie » ?

La conception initiale de la PAC privilégiait les réformes de structures (« orientation ») : aides sélectives à l'investissement, plans de développement des exploitations, encouragements à la cessation d'activité, formation professionnelle, aides spécifiques aux régions défavorisées, lutte contre les déséquilibres structurels du marché de certains produits. Dans l'attente des effets favorables de certaines réformes, il convenait de mettre en place une politique des marchés (« garantie ») qui régule les prix plus que les quantités. Ces deux politiques se sont révélées contradictoires et les réformes de structure visant à l'accroissement du revenu accrurent les nécessités de l'intervention et les déséquilibres. C'est ainsi qu'aujourd'hui les prix européens sont presque systématiquement supérieurs aux prix mondiaux et qu'il y a accumulation d'excédents sur certaines productions. Il est alors plus difficile de pratiquer une politique d'orientation et aujourd'hui 90 % des emplois du FEOGA (Fonds européen d'orientation et de garantie agricole) correspondent à des dépenses de garantie.

Le système de garantie repose sur une organisation commune des marchés couvrant aujourd'hui plus de 90 % des productions (contre 50 % en 1962). L'unicité des prix, instituée sur chaque catégorie de produits, est assurée par une protection à l'encontre des exportations des pays tiers (système des prélèvements à l'importation) et par une garantie pour les exportations vers ces pays (système des restitu-

TABLEAU XV. — LA DIVERSITÉ DES MOYENS ET DES RÉSULTATS DE L'AGRICULTURE EUROPÉENNE
(QUELQUES EXEMPLES)

Pays	Superficie moyenne utilisée (hectares 1987)	Part de l'emploi agricole dans l'emploi civil total (1987)	Répartition de l'emploi (en 1986)		Nombre de tracteurs à l'hectare utilisés (en 1986)	Indice de la valeur ajoutée par tête (1982-1986 CEE = 100)	Solde commercial agricole (milliards d'Écus en 1987)	Part dans la production agricole totale de la CEE (en 1987) (%)
			15/44 ans (%)	45 ans et plus (%)				
Allemagne	16,0	5,2	44,4	55,6	0,12	68	− 6,9	14
France	27,0	7,1	43,5	56,5	0,05	130	− 0,9	23
Italie	5,6	10,5	41,7	58,3	0,07	95	− 5,2	19
Royaume-Uni	65,1	2,4	58,4	41,6	0,03	141	− 5,0	9
Pays-Bas	14,9	4,7	56,2	43,8	0,08	252	− 1,6	8
Belgique	14,1	2,8	52,4	47,6	0,08	222	− 1,7	3
Luxembourg	28,6	3,7	54,4	45,6	0,07	148	− 1,7	0,1
Irlande	22,7	15,4	45,4	54,6	0,03	120	0,6	2
Danemark	30,7	6,5	47,4	52,6	0,06	128	1,2	4
Grèce	4,3	27,0	38,7	61,3	0,07	88	− 0,1	4
Espagne	12,9	15,1	45,2	54,8	0,02	73	− 1,7	12
Portugal	4,3	22,2	45,9	54,1	0,02	—	− 1,0	2
CEE (à 12)	12,9	8,0	—	—	—	100	− 24	100

Source : CEE.

tions à l'exportation). Pour chaque catégorie de produit on détermine un prix d'équilibre du marché, conçu comme la référence maximale souhaitable (prix indicatif ou prix d'orientation). Le système de protection consiste alors à instituer d'une part un prix garanti (ou d'intervention) minimal sur l'espace CEE, et un prix de seuil intermédiaire, assurant l'unicité du prix sur l'espace communautaire, quelle que soit l'origine (communautaire ou non) du produit. Le prix effectif, de campagne, fixé annuellement (les « campagnes agricoles » s'ouvrent le 1er avril de chaque année et se terminent le 31 mars de l'année suivante) est supérieur ou inférieur au prix indicatif selon l'état de la situation agricole communautaire vis-à-vis du reste du monde (niveau relatif des prix, existence ou non d'excédents).

La crise monétaire internationale de 1971, puis le passage aux changes flottants en 1973 ont profondément perturbé le système de fixation des prix uniques en monnaie commune (Écu). Les mouvements des monnaies européennes ont conduit dès 1969 (à l'occasion de la dévaluation du franc français puis de la réévaluation du mark) à la mise en place des *montants compensatoires monétaires* (MCM) dont le but est de neutraliser les incidences des modifications des taux de change sur les prix agricoles.

Ce système a toutefois un défaut considérable puisqu'il organise de véritables transferts de ressources des agriculteurs des pays à monnaie faible vers ceux des pays à monnaie forte. Dans ces conditions, la suppression progressive des MCM négatifs conduit à une hausse des prix agricoles dans les pays dont la monnaie se déprécie. Aussi, le « démantèlement » des MCM ne rencontre pas d'opposition dans des pays comme la France ou l'Italie. En revanche, la suppression des MCM positifs pour les pays dont la monnaie s'est appréciée (République fédérale d'Allemagne et Pays-Bas notamment) signifie la baisse des prix agricoles.

Depuis le 1er avril 1984, il n'est plus possible de créer des MCM positifs : les MCM positifs des pays à monnaie forte sont transformés en MCM négatifs des pays à monnaie faible. Ainsi, quand un pays réévalue sa monnaie, on applique des MCM négatifs aux autres pays pour priver leurs exportateurs de l'avantage qu'ils pourraient tirer de la réévaluation du concurrent. Les MCM ne sont dès lors plus calculés à partir des taux pivots des monnaies, mais à partir des taux pivots verts, proportionnels aux taux pivots et tels que le transfert des MCM positifs vers les MCM négatifs soit intégralement assuré. Le démantèlement des MCM positifs existants concerne essentiellement la République fédérale d'Allemagne et les Pays-Bas. Quant aux MCM négatifs, leur démantèlement intégral d'ici à la fin de 1992 est prévu pour les pays dont les monnaies participent au SME.

Dans ces conditions, on comprend les difficultés des négociations : les États membres profitent des réunions annuelles concernant la fixation des prix européens en Écus pour traiter les décisions relatives aux variations de prix et au démantèlement des MCM.

Trois problèmes majeurs remettent en cause la pertinence des conceptions à la base de la PAC : la production croît plus vite que les débouchés (2 % contre 1 % par an en moyenne dans la CEE) et cela a pour conséquence l'explosion des excédents exportables vers les pays tiers mais impliquant restitution. Si le solde extérieur s'est globalement amélioré (le taux de couverture global des importations par les exportations est passé de 30 à 65 % entre 1973 et 1987), il reste toutefois extrêmement fragile dans la mesure où la moitié des exportations sont réalisées à l'aide de restitutions. Enfin, les coûts budgétaires ont explosé du fait de l'apparition et de la croissance rapide d'excédents structurels sur tous les grands produits agricoles.

La révision de la PAC, engagée depuis 1980 et développée dans le *Livre vert* (1985), vise à comprimer son coût tout en transférant des ressources aux actions d'orientation. Cela nécessite l'alignement progressif sur les prix mondiaux (de manière à accroître la compétitivité), une politique active d'exportations (fondée sur des accords de coopération et des contrats à long terme), la modulation des garanties de prix en fonction d'objectifs communautaires de production, l'extension des prélèvements de « coresponsabilité » associant les producteurs aux dépenses engagées pour résorber les excédents (lait, céréales, sucre, huile d'olive, soja, tournesol, colza notamment).

Pour limiter la croissance de certaines productions, il faut une rigoureuse politique des prix. Or, tous les agriculteurs ne sont pas en mesure de supporter un tel traitement. Il faudra donc envisager d'utiliser davantage le système des aides directes aux revenus. Par ailleurs, l'adaptation de l'offre implique de réorienter les agricultures vers les productions les plus déficitaires. Enfin, l'élargissement de la demande passe par le développement des débouchés industriels non alimentaires de la production agricole.

Les réformes les plus récentes (1988) comprennent, d'une part, l'introduction de mécanismes de stabilisation des dépenses dans toutes les organisations communes de marché (fixation de quantités maximales garanties dont le dépassement entraîne diminution des prix d'achat à l'intervention, augmentation du prélèvement de coresponsabilité et réduction de la période d'intervention) ; d'autre part, une procédure de limitation de l'offre par la mise hors culture de terres agricoles (gel des terres pour une période d'au moins cinq ans, accompagné du versement de primes compensatrices). Au total, la croissance des dépenses de garantie agricole ne peut désormais excéder les trois quarts de celle du PIB de la CEE.

Dans le cadre de la réforme des fonds européens, dont les moyens doivent doubler entre 1987 et 1993, le FEOGA-Orientation a désormais pour objectifs le soutien à l'adaptation des structures agricoles et, avec le Fonds européen de développement régional et le Fonds social européen, le développement des zones rurales et des régions en retard de développement. La politique structurelle de la Communauté se concentrera davantage sur les zones les plus défavorisées ; elle n'y soutiendra plus tant des projets individuels que des programmes pluriannuels de développement, définis avec les États membres et les partenaires locaux et coordonnant des interventions de politique agricole, régionale et sociale.

Si la PAC ne fournit pas une garantie efficace pour tous les produits, toutes les régions et tous les exploitants, son coût peut-être néanmoins considéré comme une prime d'assurance garantissant la sécurité alimentaire de la CEE. La PAC demeure un puissant facteur d'intégration et de développement de la Communauté.

L'adhésion de l'Espagne a augmenté d'environ 30 % la superficie agricole de la CEE et de 25 % l'emploi offert par ce secteur. Toutefois, la position agricole de l'Espagne est fortement différenciée : sa capacité de production et d'exportation est forte pour les produits méditerranéens (vins, fruits et légumes, huile d'olive) tandis que la productivité est faible dans les secteurs du lait, de la viande ou des céréales, qui s'adapteront difficilement à la concurrence communautaire. L'agriculture espagnole emploie 16 % de la population active mais est loin d'assurer l'autosuffisance du pays. Dans les deux cas, la solidarité financière devra jouer, dans le contexte d'une intégration progressive de ce pays et du Portugal à l'Europe verte. La période de transition (sept à dix ans selon les secteurs) permettra l'élimination graduelle des droits de douane et le rapprochement des niveaux des prix et des aides. Il en est de même pour le secteur de la pêche qui se trouve en outre soumis à un régime de contrôle des efforts nationaux de pêche.

Le système monétaire et l'espace financier européens : une avancée décisive

La conférence de Brême (juillet 1978), puis le Conseil européen de Bruxelles (décembre 1978) décident de la mise en place d'un système monétaire européen (SME) dont l'institution officielle aura lieu le 13 mars 1979. Par rapport à l'organisation monétaire antérieure, le SME représente une avancée décisive pour au moins trois raisons [27, 36, 37, 38].

• Tout d'abord parce qu'il institue une *véritable unité monétaire,* l'Écu (*European Currency Unit*, c'est-à-dire unité monétaire européenne), lequel est une pondération de l'ensemble des monnaies des États membres. La position de chaque monnaie vis-à-vis de l'Écu, c'est-à-dire vis-à-vis de l'ensemble des monnaies participantes, permet alors d'identifier les *responsabilités nationales* en matière de tensions sur les taux de change officiels intra-européens, eux-mêmes calculés comme résultats des taux de change respectifs vis-à-vis de l'Écu.

• Ensuite, parce qu'il adjoint à l'évaluation bilatérale des monnaies (ce qui était le propre du « serpent ») un *mécanisme d'évaluation multilatérale qui déclenche automatiquement les interventions nationales* sur les monnaies à partir du suivi d'indicateurs de ces tensions (voir encadré).

• Enfin, le SME associe à la gestion des taux de change des monnaies *des mécanismes de coopération monétaire* différenciés selon les nécessités, lesquels assurent une plus grande stabilité des changes. Le système des « changes fixes ajustables » institue un financement à très court terme qui permet à chaque État membre d'obtenir des disponibilités en devises et d'intervenir sur le marché des changes. (Le Fonds européen de coopération monétaire reçoit à cet effet une dotation spécifique représentant 20 % des réserves de change des banques centrales sous forme de crédits croisés renouvelables. Il crée en contrepartie les Écus officiels nécessaires aux interventions.)

Selon la gravité des atteintes à l'équilibre des balances des paiements on dispose de deux autres mécanismes : le soutien monétaire à court terme et les concours financiers à moyen terme.

Depuis 1979, la coordination de la politique monétaire a été considérablement influencée par l'expérience du SME. Tout au long des années quatre-vingt, la coordination de la politique monétaire au sein du SME signifiait essentiellement l'acceptation par les autres membres du mécanisme de change d'une monnaie clé, à savoir le deutschemark : par le biais de cet engagement sur les taux de change, ces autres membres espéraient pouvoir ramener leur inflation à des niveaux faibles à un coût légèrement réduit en termes de ralentissement de l'activité économique. Le SME se caractérisait donc par son système asymétrique dans lequel le « centre » poursuivait l'objectif qu'il s'était fixé en matière de masse monétaire, alors que les autres pays, étant donné les taux bilatéraux inchangés, acceptaient la politique monétaire du centre. En d'autres termes, le SME reposait sur un ancrage anti-inflationniste efficace. Compte tenu du poids de l'économie allemande servant d'ancrage et de la priorité accordée à la convergence vers le taux d'inflation le plus faible, la contrainte du taux de change représentait une option appropriée pour les autres membres du mécanisme de change, dont la crédibilité en matière de lutte contre l'inflation était au départ moins forte. En ce qui concerne les membres originaires de la marge étroite (Belgique, Danemark, France, Irlande, Luxembourg et Pays-Bas), la convergence vers les taux d'inflation faibles a été réalisée dans une large mesure. De ce fait, la crédibilité de la marge étroite s'est considérablement renforcée au cours des dernières années de la décennie.

L'ÉCU DANS LE SYSTÈME MONÉTAIRE EUROPÉEN

L'Écu officiel est l'élément central du SME. C'est un *panier des monnaies* des États membres de la CEE, dans lequel chaque monnaie est affectée d'un poids qui dépend de la qualité de sa position vis-à-vis des autres (monnaie relativement forte ou faible) et de l'importance économique de l'État membre correspondant au sein de la CEE (parts du PIB et du commerce CEE). Au 21 septembre 1989, date de la dernière révision du système, sa composition est la suivante :

Monnaies	Pondérations (% du total)
Deutsche Mark	30,10
Franc français	19,00
Livre sterling	13,00
Lire italienne	10,15
Florin néerlandais	9,40
Franc belgo-luxembourgeois	7,90
Couronne danoise	2,45
Drachme grecque	0,80
Livre irlandaise	1,10
Peseta espagnole	5,30
Escudo portugais	0,80
TOTAL	100,00

L'Écu est avant tout le « point fixe » du SME. Les taux de change des monnaies nationales entre elles (cours pivots bilatéraux) sont le résultat de leurs taux de change respectifs vis-à-vis de l'Écu (cours pivots Écu). *Chaque monnaie est donc doublement évaluée :* par rapport à l'Écu d'une part (évaluation multilatérale), par rapport à chacune des monnaies partenaires d'autre part (évaluations bilatérales).

Exemple : Si 1 Écu = 2 DM et si 1 Écu = 7 FF, alors 1 DM = 3,5 FF. Le cours de l'Écu en une monnaie communautaire quelconque est égal à la somme des contre-valeurs en cette monnaie des montants de toutes les monnaies contenues dans le panier Écu.

Selon que, pour ces contre-valeurs, on retient le cours pivot bilatéral de chaque monnaie ou son cours de marché (au jour le jour) on obtient le cours pivot de l'Écu en cette monnaie ou bien sa valeur de marché. *Les cours de marché bilatéraux des monnaies peuvent s'écarter des cours pivots officiels* dans les limites des marges de fluctuations autorisées, soit + ou − 2,25 % (à l'exception de la peseta dont la marge est de + ou − 6 %, de la drachme et de l'escudo, qui ne participent pas encore au mécanisme).

Pour chaque monnaie, l'écart entre le cours pivot de l'Écu et sa valeur de marché sert de base au calcul de *l'indicateur de divergence*. Cet indicateur sert à établir une présomption d'action sur les marchés des changes, à charge des autorités responsables de la monnaie dont le cours de marché dépasserait les limites de fluctuations établies par rapport à l'Écu. *Ces limites diffèrent selon les monnaies :* elles sont inversement proportionnelles aux poids des monnaies dans l'Écu.

Mais le cadre économique et institutionnel dans lequel le SME a fonctionné dans les années quatre-vingt se transforme rapidement. La formulation de la politique monétaire européenne au cours des années quatre-vingt-dix devra relever de multiples défis :

— maintenir la convergence et la stabilité monétaire entre les pays de la marge étroite dans le nouveau contexte créé par l'unification monétaire allemande ;

— renforcer la convergence nominale des pays à faible revenu, qui traversent une période de croissance rapide des revenus et de la demande ;

— éviter que la libération des mouvements de capitaux n'entraîne des pressions insoutenables sur les taux d'intérêt et les taux de change ;

— concevoir des politiques monétaires qui, avec d'autres politiques, permettront de réagir de manière optimale aux chocs asymétriques ;

— renforcer l'harmonisation des instruments et des agrégats monétaires entre les États membres, de manière à progresser rapidement dans la voie de l'établissement d'une politique monétaire cohérente au niveau européen.

Les banques commerciales ont développé, depuis 1981, des opérations multiples en Écus, et ce dans un contexte d'incertitude croissante sur les marchés financiers internationaux. L'Écu privé, risque moyen et rendement moyen par rapport à chacune de ses composantes, est une innovation non négligeable dans le champ des eurodevises. Toutefois, contrairement aux autres devises, il n'est qu'une unité de compte, c'est-à-dire qu'il n'est pas adossé à un système monétaire pourvu de la garantie d'une banque centrale. L'immaturité de l'Écu privé comme monnaie, en dépit de la mise en place récente d'un système multilatéral de compensation des avoirs et engagements interbancaires le concernant, freine son développement.

En réalité, le dynamisme de l'Écu privé est surtout financier (euro-obligations et eurocrédits). Le marché privé de l'Écu est toutefois d'abord un marché européen et ce marché demeure fragile : les crédits sont essentiellement accordés aux résidents par les banques italiennes et françaises tandis que les dépôts sont surtout collectés par les banques belges et luxembourgeoises. A cette spécialisation s'ajoute un

LA CONVERGENCE ÉCONOMIQUE

La réussite de l'intégration de la Communauté européenne est intimement liée à l'harmonisation des conditions économiques sur son territoire. La convergence économique désigne le processus de rapprochement des performances économiques des États membres.

La notion de convergence économique couvre deux domaines distincts : la *convergence réelle* désigne le processus de réduction des disparités de niveaux de vie (PIB par habitant) alors que la *convergence nominale* désigne la convergence des variables qui conditionnent plus directement la stabilité des prix et des taux de change et donc le passage à l'Union économique et monétaire.

Plus précisément, la convergence nominale désigne la progression vers la stabilité intérieure (coûts et prix) et extérieure (taux de change), ce qui implique un abaissement progressif des taux d'inflation à des niveaux très faibles et le maintien de conditions favorables à la stabilité des taux de change.

La poursuite de l'objectif de convergence nominale n'est pas incompatible avec le processus de longue durée d'une convergence réelle. Ainsi la stabilité des prix, objectif du processus de convergence nominale, est un préalable à une convergence réelle durable.

La progression vers la convergence économique constitue un processus complexe impliquant de choisir les critères qui permettent de l'évaluer : la stabilité des prix est le premier de ces critères ; dans l'Union économique et monétaire, les écarts d'inflation ne devront procéder que des écarts de productivité. Ce résultat exige que des progrès soient réalisés dans d'autres domaines, en matière de déséquilibres macroéconomiques. Toute évaluation des progrès accomplis dans la voie de la stabilité des prix exige donc un examen des performances réalisées en matière de production et d'emploi ainsi que des tendances fondamentales en matière de coûts et de rentabilité.

De même, des finances publiques saines constituent un préalable à l'UEM, sans exiger pour autant une convergence complète des situations budgétaires et des dettes publiques. Enfin, si la nécessité de la convergence vers un équilibre durable des paiements extérieurs est moins évidente dans la mesure où l'intégration des marchés de capitaux doit permettre d'éviter tout problème de financement des déséquilibres extérieurs, en revanche l'examen de la situation de la balance courante des États membres est un élément important de toute analyse de convergence. Dans une union monétaire complète, toutefois, les soldes des balances courantes perdent une bonne partie de leur fonction disciplinaire.

Alors que les performances économiques des États membres avaient connu une convergence satisfaisante dans les années soixante, elles ont été caractérisées par une divergence croissante dans les années soixante-dix. L'adoption d'une stratégie plus appropriée et mieux coordonnée en matière de politique économique a permis de renforcer à nouveau nettement la convergence dans les années quatre-vingt.

Les pays ayant initialement participé au SME avec une marge de fluctuation étroite sont parvenus à s'adapter progressivement à la discipline d'un système qui vise à préserver la stabilité des prix et la cohésion monétaire. Cependant, d'autres pays demeurent encore en retrait, et l'objec-

→

tif de la première étape de l'UEM consistera essentiellement à amener tous les pays de la Communauté au niveau du groupe de référence.

Une batterie de cinq critères de convergence nominale a été adjointe au traité d'Union économique et monétaire signé à Maastricht en novembre 1991. Chaque État membre s'efforcera d'atteindre les normes demandées, mais un simple progrès dans la bonne direction peut conduire à reconnaître l'aptitude du pays considéré à intégrer l'UEM. Les données structurelles, qualifiant la convergence réelle, seront également prises en compte.

Les critères retenus quant à la convergence nominale sont :
— un taux d'inflation ne dépassant pas de plus de 1,5 % la moyenne des trois meilleurs résultats des Douze ;
— un déficit budgétaire inférieur à 3 % du PIB ;
— un endettement total inférieur à 60 % de la richesse nationale, c'est-à-dire du PIB ;
— des taux d'intérêt à long terme qui n'excèdent pas de plus de 2 % ceux pratiqués par les trois pays qui ont les taux les plus bas ;
— une monnaie contenue depuis plus de deux ans sans dévaluation dans la bande étroite du SME (+/− 2,25 % d'écart par rapport au taux pivot).

L'application de ces critères conduirait aujourd'hui à ne retenir que la France et le Luxembourg comme candidats heureux à l'UME. Le passage à la monnaie unique, en 1997 ou 1999, devrait en fait concerner sans équivoque six pays (France, Danemark, Allemagne, Benelux) auxquels l'Italie s'adjoindrait sous réserve d'un apurement sérieux de ses finances publiques.

Décembre 1991
CONVERGENCE ÉCONOMIQUE : 12 APPELÉS, 2 ÉLUS

	Inflation	Déficit (en % du PIB)	Dette (en % du PIB)	Taux d'intérêt à long terme	Prêt pour l'UEM
Allemagne	4,6	3,6	45,4	8,7	non
Belgique	3,2	6,3	129,4	9,3	non
Danemark	2,4	1,7	66,7	10,1	non
Espagne	5,8	3,9	45,6	12,4	non
France	*3,0*	*1,5*	*47,2*	*9,0*	*oui*
Grande-Bretagne	6,5	1,9	43,8	9,9	non
Grèce	18,3	17,9	96,4	19,5	non
Irlande	3,0	4,1	102,8	9,2	non
Italie	6,4	9,9	101,2	12,9	non
Luxembourg	*3,4*	*2,0*	*6,9*	*8,2*	*oui*
Pays-Bas	3,2	4,4	78,4	8,9	non
Portugal	11,7	5,4	64,7	17,1	non

déséquilibre quantitatif : les crédits en Écus sont structurellement supérieurs aux dépôts, dans la mesure où les créanciers peuvent déboucler leurs avoirs dans les monnaies nationales composantes. Le manque de liquidité directe du marché exige une intense activité interbancaire pour gérer ce déséquilibre. Dans ces conditions, la question fondamentale concerne les modalités de connexion ultérieures du marché de l'Écu privé (géré par les banques commerciales à travers le système de compensation) à l'Écu officiel (géré par les banques centrales à travers le FECOM).

La création d'un espace financier européen repose avant tout, outre la liberté d'établissement des intermédiaires financiers sur le territoire national de leur choix, sur la libre prestation transfrontières de leurs services, c'est-à-dire sur la faculté offerte à tout intermédiaire financier établi en Europe d'offrir directement ses prestations partout ailleurs dans la CEE sans être nécessairement établi dans le pays où il offre ses prestations et sans être régi par d'autres règles et d'autres autorités de contrôle que celles de son pays d'origine. Le processus d'unification financière repose sur trois conditions complémentaires : la liberté complète des mouvements de capitaux, la libre prestation de services transfrontières, l'harmonisation minimale des réglementations applicables aux professions concernées, des règles de contrôle concernant les établissements financiers et les produits qu'ils distribuent, enfin de leur fiscalité de manière à réaliser l'égalité des conditions de la concurrence [31].

Les mouvements de capitaux sont déjà complètement libérés dans la plupart des pays de la Communauté et les contrôles qui subsistent disparaîtront dans le courant de la première étape de réalisation de l'Union économique et monétaire. Cela implique que les taux de change et les taux d'intérêt sont désormais étroitement liés aux données économiques fondamentales. Combinés au développement et à la modernisation rapides des marchés financiers dans un certain nombre de pays membres, cette évolution renforce le système contre certains types de chocs. Par exemple, les possibilités d'arbitrage étant devenues beaucoup plus nombreuses, les fluctuations du dollar risquent beaucoup moins que dans le passé d'entraîner des problèmes insurmontables avec les contraintes que cela provoque au niveau de son taux de change vis-à-vis des monnaies de la Communauté.

Toutefois, la libération des mouvements de capitaux implique *a priori* un recours plus intensif aux modifications des différentiels d'intérêt. Lorsque les données économiques fondamentales à court terme étaient bonnes, les pays qui ont libéré les mouvements de capitaux jusqu'à présent ont eu tendance à voir monter leur monnaie ; à la limite, lorsque ces mêmes pays connaissaient une activité interne soutenue, leurs autorités monétaires ont été conduites à réduire les taux d'intérêt du fait de l'afflux massif des capitaux alors qu'il aurait plutôt fallu faire l'inverse pour des raisons d'équilibre interne. En revanche, lorsque les données économiques fondamentales se détériorent, du fait de l'absence de contrôle des changes, les pressions potentielles sur le taux de change risquent désormais d'être plus fortes que dans le passé. La nouvelle situation contraste nettement avec celle des années quatre-vingt, lorsque les monnaies des pays à forte inflation se situaient souvent dans la partie inférieure de la marge de fluctuation du SME, de telle sorte que la structure des différentiels de taux d'intérêt nécessaire pour éviter des pressions sur le marché des changes était compatible avec l'objectif prioritaire de désinflation. Ainsi, la libération des mouvements de capitaux entrave le fonctionnement du système asymétrique et exige une coordination plus poussée. La libre circulation des services et des produits financiers est en cours de réalisation : concernant les valeurs mobilières, aucun obstacle ne s'oppose aux opérations d'émission, de souscription et de cotation transfrontalières. La libre circulation, sur le marché de chacun des pays membres, des OPCVM (organismes de placements collectifs en valeurs mobilières de type SICAV ou fonds communs) ayant fait l'objet d'une harmonisation minimale, est entrée en vigueur en octobre 1989. Dans le domaine bancaire la libre prestation de services, dans tout l'éventail des activités, doit être réalisée d'ici à la fin 1992. Le processus de mise en concurrence des établissements financiers s'accompagne de la recherche d'une harmonisation minimale en matière prudentielle (contrôle de la solvabilité, des risques engagés, de la transparence des conditions tarifaires) et de la définition de règles de protection des consommateurs et de l'épargne publique.

Le renforcement de l'identité financière de l'Europe doit être recherché dans deux directions : une meilleure cohésion vis-à-vis de l'extérieur et la poursuite des efforts de consolidation de l'Europe monétaire. Cela implique que l'harmonisation européenne soit réalisée par le haut de manière à éviter la résurgence, à la première difficulté, de dispositifs de sauvegarde nationaux ou de régimes dérogatoires qui seraient autant d'atteintes à l'objectif du marché intérieur. Les élargissements successifs de la Communauté ont nécessairement rendu celle-ci plus hétérogène et accru d'autant les difficultés de l'harmonisation par le haut, la plus exigeante et la plus contraignante.

Le décloisonnement des marchés financiers résultant de la création d'un marché financier unifié devrait assurer une répartition et une utilisation optimales de l'épargne européenne et ainsi favoriser le développement économique de la Communauté. Les emprunteurs pourront trouver les capitaux là où ils sont les moins chers et les mieux adaptés à leurs besoins ; d'un autre côté, les investisseurs et les fournisseurs de capitaux pourront offrir leurs moyens là où ils seront accueillis avec le plus d'intérêt par les autres agents économiques. En outre, le système financier intégré comporte un réseau efficace de paiements qui facilite le règlement de toutes les transactions courantes aussi bien que de capitaux à l'intérieur de la Communauté et réduit les coûts inhérents à ces règlements.

La politique régionale

L'espace communautaire (2 254 000 km²) offre une grande variété de climats, de paysages, de populations et d'activités à laquelle sont associés des niveaux de développement économique très disparates, tant en raison de facteurs naturels que de causes historiques et politiques. Ces différences appellent la mise en place de politiques de développement spécifiques, tant de la part des États membres que de celle des instances communautaires.

La hiérarchie des régions est reliée à un développement inégal des secteurs d'activité. Les régions à forte densité démographique (plus de 300 hab./km²), caractérisées par une urbanisation importante et une extrême concentration des activités industrielles ou tertiaires (nord de l'Europe et notamment le triangle Paris-Ruhr-Londres), doivent être distinguées des régions « périphériques », à population plus clairsemée, largement orientées vers l'agriculture et le plus souvent démunies de ressources naturelles (Europe du Centre et du Sud). A ce constat il faut ajouter celui des effets du déclin des anciennes régions industrielles du nord de l'Europe, et des zones rurales abritant le tiers de la population.

Initiée en 1969, l'action régionale communautaire s'est particulièrement développée à partir de 1975 avec la création du FEDER (Fonds européen de développement régional). Sa motivation est triple. Il s'agit tout d'abord de coordonner les politiques nationales entre elles avec les actions communautaires. Il s'agit ensuite de donner une dimension régionale aux politiques communautaires en mesurant l'incidence locale des mesures adoptées. Il s'agit enfin d'accorder des soutiens financiers à des actions de développement régional entreprises dans les régions les plus défavorisées [39].

Les principaux instruments financiers de l'action régionale sont :

— *le FEDER*, qui participe au développement et à l'ajustement structurel des régions en retard de développement et à la reconversion des régions en déclin industriel ; la technique des cofinancements d'investissements en est l'outil privilégié ;

— *la Banque européenne d'investissement* (BEI), financée par ressources propres et emprunts, dont l'aide s'adresse aux investissements dans les secteurs de production et les infrastructures contribuant au développement économique des régions en difficulté et présentant un intérêt national ou commun à plusieurs États-membres ;

— *la section « orientation » du FEOGA* finance la rénovation et l'adaptation des structures de production agricoles, l'amélioration des revenus agricoles, le rétablissement de l'équilibre entre production et capacité des marchés de même que le développement des zones rurales ;

— *le Fonds social européen* (FSE) entreprend des actions visant à promouvoir l'emploi, la formation et la mobilité professionnelle et géographique des travailleurs ;

— *la CECA*, dont l'action concerne avant tout les anciennes régions minières ; aide à la réadaptation professionnelle, aide à la reconversion pour les activités nouvelles créant des emplois dans ces régions.

Soulignons enfin que les années récentes sont marquées par un renforcement de « l'européanisation » de la politique régionale. Il s'agit de la mise en place de la coopération entre régions frontalières et de l'institution d'opérations régionales intégrant des actions communautaires d'origines diverses (expériences des régions de Naples et de Belfast). Enfin, les programmes intégrés méditerranéens (PIM) ont pour mission l'accélération de la modernisation des régions méridionales.

La réforme des Fonds structurels (FEDER, FEOGA-orientation, FSE), mise en place dès 1989 dans le cadre de l'achèvement du Marché unique et de la poursuite de l'intégration européenne, avait pour objectifs de concentrer les actions des fonds sur un nombre restreint d'objectifs prioritaires et de définir une nouvelle philosophie de gestion et d'exécution. La réforme a introduit plusieurs éléments nouveaux, et ce pour tous les fonds concernés :

— la concentration des actions des fonds sur un nombre restreint d'objectifs prioritaires clairement définis, parmi lesquels l'accélération du développement des régions en retard revêt une importance particulière ;

— un doublement progressif des ressources jusqu'en 1993 par rapport à 1987 ;

— des modifications de gestion relatives à l'établissement des cadres communautaires d'appui et aux procédures de suivi de l'exécution et d'évaluation des actions ;

— une délégation de pouvoirs du Conseil à la Commission afin de lui permettre le lancement de programmes à l'initiative de la Communauté ;

— des interventions par programmes pluriannuels plutôt que par projets, afin de donner plus de cohésion et d'efficacité aux actions entreprises ;

— un resserrement de la coordination entre les trois fonds structurels et les autres instruments financiers de la Communauté, de sorte que les cadres communautaires d'appui régionaux assurent la couverture et la coordination des interventions de tous les instruments financiers concernés ;

— un net renforcement du partenariat par la participation des régions à l'élaboration et à la mise en œuvre des programmes ;

— l'utilisation par la Communauté de diverses formes d'assistance financière et une souplesse accrue dans l'octroi des avances.

En ce qui concerne plus particulièrement le FEDER, la réforme a concentré davantage son champ d'intervention, tant fonctionnellement que géographiquement, notamment en attribuant 80 % des ressources disponibles aux régions périphériques en retard de développement (PIB par tête inférieur d'au moins 25 % à la moyenne communautaire).

Au cours de la période 1989-1993, les fonds structurels pourront engager plus de 60 milliards d'Écus, dont 5,5 milliards sont réservés aux initiatives communautaires finançant des programmes existants et de nouvelles initiatives spécifiques (adaptation des zones charbonnières, environnement, zones frontalières, régions ultra-périphériques, intégration des réseaux de transport d'énergie dans les régions périphériques, formation professionnelle, développements technologiques, etc.

La politique sociale

Les traités instituant les Communautés européennes contiennent des dispositions sociales concernant principalement l'amélioration des conditions de vie ainsi que la protection sanitaire des populations. Depuis 1974, du fait de la crise industrielle, la politique du Fonds social européen s'est trouvée redéfinie et globalisée. Ses objectifs sont : la réalisation du plein et du meilleur emploi, l'égalisation des conditions de vie et de travail, l'accroissement de la participation des partenaires sociaux dans l'entreprise comme au niveau des décisions communautaires [32].

Dans le domaine de l'emploi, les mesures globales ont été assorties d'actions spécifiques. Elles concernent l'emploi de groupes-cibles, jeunes de moins de vingt-cinq ans, femmes, travailleurs migrants, handicapés, travailleurs appartenant à des branches d'activité particulièrement touchées par la crise (textile, habillement, sidérurgie, agriculture).

Les mesures proposées en faveur de la participation ont reçu peu d'échos, voire des oppositions absolues de la part des firmes concernées, notamment américaines (projet de sociétés anonymes européennes dotées de conseils de surveillance composés pour un tiers de représentants des travailleurs, projet similaire concernant les grandes entreprises des pays membres).

TABLEAU XVI. — PROGRAMMES COMMUNAUTAIRES
EXISTANTS

1. STAR	*Objectif :* améliorer l'accès des régions en retard aux services modernes de télécommunications. *Participation de la Communauté :* 780 millions d'Écus pour la période 1987-1991.
2. Valoren	*Objectif :* contribuer au développement régional par un meilleur usage du potentiel énergétique endogène. *Participation de la Communauté :* 400 millions d'Écus pour la période 1987-1991.
3. Resider	*Objectif :* favoriser la reconversion des régions affectées par la restructuration de l'industrie sidérurgique. *Participation de la Communauté :* 300 millions d'Écus pour la période 1988-1992.
4. Renaval	*Objectif :* contribuer à la reconversion des régions affectées par la restructuration des chantiers navals. *Participation de la Communauté :* 200 millions d'Écus pour la période 1988-1992.

Faute d'être réellement né avec l'institution de la CEE, l'espace social européen n'a guère connu de développements majeurs. Deux constats, parmi d'autres, le démontrent.

• La Confédération européenne des syndicats (CES) est contestée dans ses objectifs et formes participatives, notamment par la CGT française (affiliée à la Fédération syndicale mondiale), qui lui refuse son engagement. La CES regroupe néanmoins près de quarante-cinq millions d'adhérents répartis dans trente-quatre confédérations syndicales de pays de l'Europe occidentale.

• Les niveaux globaux des efforts de protection sociale

sont relativement proches d'un État membre à l'autre. Cependant la structure et les modes de financement demeurent hétérogènes. L'harmonisation des systèmes de protection sociale se dessine en dépit des disparités juridiques et techniques. Par ailleurs le gonflement des dépenses nécessite une véritable concertation des politiques sociales nationales. Aussi les propositions de la Commission vont dans le sens d'une réforme des modes de financement de la protection sociale. La maîtrise de la croissance des dépenses et le renforcement de l'efficacité du système social deviennent des impératifs si l'on veut réduire les inégalités.

La prise en compte de la dimension sociale de l'achèvement du Grand Marché intérieur, si elle est susceptible d'être favorable aux individus et aux groupes sociaux, peut également dans certains domaines constituer un facteur de valeur ajoutée pour les entreprises. La réforme du FSE, décidée en 1988, vise, à travers un doublement de sa dotation d'ici à 1993, à permettre de mener de front cinq actions prioritaires : développement des régions en retard structurel, reconversion des régions industrielles en déclin, lutte contre le chômage de longue durée, aide à l'insertion professionnelle des jeunes, adaptation des structures agricoles. Afin d'éviter les effets de concurrence déloyale au sein du Grand Marché, les prescriptions sociales minimales concernant l'amélioration du milieu de travail relèvent désormais de votes à la majorité qualifiée. Simultanément, et dans le cadre de la politique contractuelle, le chemin vers des conventions-cadres collectives européennes est ouvert.

Au-delà, c'est la mise en œuvre d'une Charte sociale européenne (adoptée en décembre 1989 par 11 pays — à l'exception du Royaume-Uni) qui constitue l'un des enjeux essentiels de l'approfondissement de la cohésion sociale dans la perspective du Grand Marché intérieur. Celle-ci proclame les grands principes relatifs aux droits suivants :
— libre circulation ;
— emploi et rémunération ;
— amélioration des conditions de vie et de travail ;
— protection sociale ;
— liberté d'association et négociation collective ;
— formation professionnelle ;
— égalité de traitement entre les hommes et les femmes ;

- information, consultation et participation ;
- protection de la santé et de la sécurité ;
- protection des enfants et des adolescents ;
- personnes âgées ;
- personnes handicapées.

Le principe de subsidiarité permet à la Communauté d'agir lorsque les objectifs à atteindre peuvent être mieux réalisés à son niveau qu'à celui des États membres ; toutefois, la Commission ne peut outrepasser les compétences qui lui sont reconnues par le traité de Rome, modifié par l'Acte unique, et son action concrète ne vise donc qu'une partie seulement des mesures à prendre pour traduire la Charte sociale dans la réalité.

Dans les premières années de la Communauté, les fonds de celle-ci étaient essentiellement destinés au recyclage et à la relocalisation de la main-d'œuvre afin de compenser les effets de la suppression des barrières douanières ou d'autres changements sectoriels. Tel était le rôle assigné au Fonds social européen. Une nouvelle dimension s'est ajoutée en 1975 avec la création du Fonds européen de développement régional, qui a mis l'accent sur une démarche régionale plus large visant à résoudre les problèmes de déséquilibre et de déclin des régions.

L'adoption de l'Acte unique a renforcé ce processus en garantissant que les États membres conduisent et coordonnent leurs politiques économiques de façon à atteindre les objectifs généraux de cohésion économique et sociale. En outre, la Communauté s'est engagée à soutenir la mise en œuvre de ces politiques par l'action qu'elle entreprend par l'intermédiaire des Fonds structurels (Fonds européen d'orientation et de garantie agricoles, section orientation, Fonds social européen, Fonds européen de développement régional), de la Banque européenne d'investissement et des autres instruments financiers existants.

Ces changements d'orientation et d'accent dans la politique poursuivie ont dans une large mesure accompagné l'élargissement de la Communauté. Si les derniers changements intervenus en 1988 doivent encore être pleinement absorbés du point de vue de l'intégration des diverses dimensions des politiques nationales et communautaire, et s'il reste beaucoup à faire pour donner son efficacité maximale à l'utilisation des ressources des Fonds structurels, une réorientation fondamentale de l'action de la Communauté est désormais bien engagée.

La réussite de la promotion de la cohésion économique et sociale au sein de la Communauté dépend du jeu combiné des actions des États membres, des politiques communes de la Communauté et des Fonds structurels. Si les développements les plus visibles de ces dernières années ont été constitués par les réactions enregistrées au niveau de la Communauté, les actions de celle-ci ne peuvent être appréciées qu'au regard des mesures prises depuis longtemps au plan national, qui varient fortement d'un pays à l'autre (bien qu'il soit difficile d'effectuer des comparaisons significatives avec les données disponibles).

Il peut être difficile de définir les mesures de politique régionale prises au plan national, puisque la plupart des décisions de politique économique des gouvernements nationaux ont certains effets redistributifs entre régions. Toutefois, il est normal de ne pas considérer les effets de ces mesures globales comme faisant partie intégrante de la politique régionale et de se concentrer sur les mesures qui visent plus directement à résoudre les grands problèmes de déséquilibre régional.

La principale mesure prise pour lutter contre le chômage a été la formation ; cette politique a pris une grande extension au cours des toutes dernières années, notamment en ce qui concerne l'aide aux chômeurs de longue durée. Alors que le soutien procuré par les Fonds structurels dans le cadre du Fonds social européen est aussi en cours de réajustement, celui-ci continue à graviter essentiellement autour de la formation professionnelle.

La politique de coopération avec le tiers monde

L'essentiel des relations Europe/tiers monde est aujourd'hui réalisé dans le cadre d'accords de coopération régulièrement renouvelés, alliant la CEE aux pays associés, dits ACP (66 pays d'Afrique, des Caraïbes et du Pacifique). Les accords de Lomé (Lomé I : 1975-1980 ; Lomé II : 1980-1985 ; Lomé III : 1985-1990 ; Lomé IV : 1990-2000) ont fait suite aux accords de Yaoundé (1963 et 1969) et constituent le cadre d'une coopération intégrée au sein de laquelle on peut distinguer [18] :

• Une coopération financière et technique gérée par le Fonds européen de développement (une aide de 10,8 milliards d'Écus pour Lomé III) et la BEI (prêts à taux réduits et aide financière de 1,2 milliard d'Écus pour Lomé IV). Les aides concernent en priorité le développement agricole, l'industrialisation, les transports et communications et les progrès sociaux. Les financements concernent des programmes établis de manière concertée ainsi que des microprojets d'intérêt local.

Lomé IV s'enrichit de plusieurs innovations importantes :
— insertion d'un dispositif d'appui aux politiques d'assainissement économique (ajustement structurel), en complément des actions traditionnelles de développement à long terme et au moyen d'une dotation spéciale supplémentaire au sein du FED ;
— assistance technique concernant la dette des pays ACP et transformation en subventions des prêts spéciaux, des transferts STABEX et des financements SYSMIN ;
— développement des activités de service et de protection de l'environnement ;
— promotion, protection et appui des investissements du secteur privé, ainsi qu'à leur financement, notamment par le moyen des capitaux à risque ;
— développement des formes de coopération décentralisée afin d'accroître l'efficacité des instruments coopératifs.

• Une coopération commerciale (système de la préférence généralisée communautaire) permettant aux produits traditionnels d'exportation (agricoles et miniers) des ACP d'entrer en franchise dans la CEE (dont elle est le principal partenaire) sans réciprocité obligatoire. Cependant, afin de protéger les secteurs en difficulté, certaines importations sont strictement contingentées (textile et habillement notamment).

• Un mécanisme de garantie minimale des recettes d'exportation (STABEX), institué dès Lomé I pour faire face aux fluctuations considérables des cours mondiaux de 51 produits exportés par les pays ACP et qui représentent une fraction significative de leurs recettes globales : toute chute des recettes est compensée par des prêts ou par des dons pour les pays les moins développés. Aujourd'hui, ce mécanisme est doublé d'une protection renforcée au bénéfice des pays les moins avancés (COMPEX). Un mécanisme parallèle (SYSMIN) est établi afin de préserver les potentiels de production ou les capacités d'exportation de la plupart des minerais, en cas de catastrophe naturelle, événement politique ou chute brutale des prix.

L'enveloppe financière de Lomé IV se répartit en financements de projets, sous forme de dons et de prêts (67 %), STABEX (12 %), SYSMIN (4 %), prêts BEI (10 %) et capitaux à risque (7 %).

Le bilan des accords ACP doit être nuancé. Ces derniers garantissent l'approvisionnement de la CEE en produits de base et constituent une solution protectionniste aux attaques portant sur les productions industrielles les plus vulnérables. L'aide au titre des stratégies alimentaires, qui vise à l'autosuffisance des pays ACP, permet l'affirmation d'une identité politique. Toutefois, l'insuffisance des moyens mis en œuvre dans le cadre du FED, le manque de cohérence de certaines actions et la conception trop souvent segmentée des projets ponctuels sont régulièrement critiqués. Il faut noter que la convention de Lomé IV a procédé pour la première fois d'une réflexion sur les problèmes qui bloquent le développement des pays ACP. Il en est résulté une modification de l'utilisation des instruments de l'aide, avec la mise en place de la programmation par objectifs. Aux stratégies alimentaires s'adjoignent désormais des actions dans les domaines de l'hygiène, de la santé ainsi que pour la maintenance des outils de production locaux [33].

La politique de Lomé est bâtie sur trois éléments fondamentaux :
— coopération entre deux groupes régionaux, fondée sur le respect des options politiques et économiques des partenaires ;
— coopération sûre, durable et prévisible, fondée sur des arrangements contraignants fixés dans un contrat librement négocié ;
— coopération globale, combinant tout l'éventail des instruments d'aide et de développement des échanges.

Deux nouveaux États se joindront à la Convention : Haïti et la République Dominicaine : l'adhésion de la Namibie est prévue dès que le processus d'indépendance sera achevé.

Lomé regroupera ainsi tous les pays de l'Afrique noire subsaharienne.

La CEE a conclu par ailleurs un ensemble d'accords commerciaux avec d'autres pays en développement.

2. L'avenir des politiques communes

L'Union économique et monétaire

Le traité conduisant à l'Union économique et monétaire (UEM) a été signé à la conférence de Maastricht en novembre 1991.

L'Union monétaire peut être assimilée soit à un système de taux de change fixes, soit à une monnaie unique ; ces deux régimes ont comme caractéristique centrale une politique monétaire unique. Mais la monnaie unique, assortie de la création d'une banque centrale européenne, représente la solution la meilleure au regard d'un bilan économique avantages/coûts (élimination des coûts de transaction, transparence des prix, économies d'échelle sur les marchés financiers, plus grande crédibilité, rôle monétaire international affirmé).

En vertu du principe de subsidiarité, l'Union économique devrait entraîner une centralisation des politiques bien moindre que l'Union monétaire. Elle est fondée sur le Grand Marché intérieur et implique la définition d'objectifs communs de politique économique et une étroite coordination des politiques économiques à l'échelon communautaire, de même que le développement accéléré de politiques communes. Les politiques budgétaires, aux plans national et communautaire, en seront substantiellement affectées. (Voir encadré sur les zones monétaires optimales.)

Les effets permanents qui peuvent être attendus de l'UEM appartiendront à l'une des quatre grandes catégories suivantes [19, 30] :
— gains d'efficience microéconomique découlant de la suppression des coûts de transaction et de l'incertitude en matière de taux de change, et conduisant à une augmentation permanente de la production ;
— effets de stabilité macroéconomique qui proviennent à la

TABLEAU XVII

	Pays	Accord commercial
Traitement plus favorable	ACP : pays d'Afrique, des Caraïbes et du Pacifique	Convention de Lomé
	Algérie, Maroc, Tunisie	Accords de coopération et accords commerciaux préférentiels
	Égypte, Jordanie, Liban, Syrie	Accords de coopération et accords commerciaux préférentiels
	Israël, Yougoslavie	Accords de coopération et accords commerciaux préférentiels avec chaque pays
	Chypre, Malte, Turquie	Accords d'association
Traitement moins favorable	Autres pays en développement	Système généralisé de préférence
	Bangladesh, Inde, Pakistan, Sri Lanka, Yémen	Accords non préférentiels de coopération commerciale avec chaque pays
	Association des nations de l'Asie du Sud-Est (ANASE) : Indonésie, Malaisie, Philippines, Singapour, Thaïlande, Conseil de coopération du Golfe (CGC)	Accord-cadre régional
	Argentine, Brésil, Mexique, Uruguay, Pacte andin	Accords non préférentiels de coopération commerciale avec chaque pays
	Amérique centrale	Accord-cadre régional 1986
	Chine, Roumanie	Accords commerciaux non préférentiels avec chaque pays

fois de la suppression des taux de change intracommunautaires et de la discipline des politiques monétaires et budgétaires ; ces effets affectent la variabilité de la production, des prix et des autres variables macroéconomiques ;
— effets d'équité interrégionale, qui portent sur la répartition des coûts et des avantages de l'UEM entre les différents États membres et les régions ;
— effets extérieurs nés du rôle international accru de l'Écu, d'une meilleure coordination de la stratégie internationale et de changements éventuels du système monétaire international.

La transition vers l'UEM est un processus graduel : la première étape, ouverte le 1er juillet 1990, doit être marquée par le renforcement de la concurrence et l'achèvement du Marché unique, la participation de tous les pays au mécanisme de change du SME et le renforcement de la coordination des

Les zones monétaires optimales

La théorie des zones monétaires optimales trouve son origine dans les travaux de R. Mundell (1961), de R. Mc Kinnon (1963) et de P. Kenen (1969).

Dans le cadre du débat général concernant les mérites comparés des régimes de changes fixes et des régimes de changes flexibles, cette théorie se propose de déterminer l'espace optimal au sein duquel il est toujours préférable d'instituer la fixité des taux de change. Le raisonnement est, comme à l'habitude, mené en référence à la recherche des ajustements et de la stabilisation les plus efficaces en présence de chocs exogènes asymétriques.

Les partisans de la flexibilité soulignent le rôle privilégié du taux de change comme facteur d'ajustement commode et peu coûteux des déséquilibres internationaux d'opérations courantes et, au-delà, comme moyen d'ajustement des prix relatifs entre deux économies lorsque ceux-ci sont rigides et que les facteurs de production (investissement matériel et main-d'œuvre) sont immobiles. Dès lors, et de manière plus générale, la flexibilité des changes est censée assurer l'indépendance absolue des politiques macroéconomiques nationales.

La théorie des zones monétaires optimales démontre, *a contrario*, l'intérêt logique de l'institution des changes fixes lorsque les pays partenaires sont caractérisés par un degré élevé d'ouverture internationale, des structures économiques semblables et des marchés de biens, de services et de capitaux relativement intégrés, de même que par l'absence de rigidité des prix et une réelle mobilité des facteurs de production. Le premier critère permettant de définir une zone monétaire optimale est donc le degré de mobilité des facteurs au sein de cette zone et/ou le degré de flexibilité des prix. Ces éléments de souplesse se substituent alors à la flexibilité du change dans la mise en œuvre des processus d'ajustement internationaux.

A la limite, le degré de diversification des productions des partenaires potentiels peut constituer un élément déterminant de l'opportunité de constituer une zone monétaire optimale : alors que des pays caractérisés par un faible degré de diversification de leur production connaîtront de grandes difficultés à diluer les effets de chocs spécifiques à certaines productions et devront, dès lors, rechercher dans la flexibilité du change l'élément de souplesse indispensable à leurs ajustements, les pays à production fortement diversifiée, bénéficiant de ce fait de la souplesse nécessaire, sont *a priori* plus enclins à former une zone monétaire à changes fixes. La diversification de la production permettra d'absorber les chocs, même si la mobilité des facteurs ou la flexibilité des prix est insuffisante.

Si l'on admet que la CEE respecte à peu près les principales hypothèses conduisant au bien-fondé de la constitution d'une zone monétaire optimale, alors la réalisation du Grand Marché intérieur légitime la création d'une Union monétaire.

politiques économiques afin de favoriser la convergence des performances macroéconomiques (voir encadré). Le doublement des fonds structurels est un moyen essentiel du financement du renforcement de la cohésion économique et sociale au cours de cette étape. La création de l'Institut monétaire européen (IME) sera la principale innovation de la deuxième étape, qui doit débuter en 1994. Il s'agit donc d'une phase institutionnelle. Les banques centrales nationales conserveront la responsabilité de la politique monétaire, l'IME fixant les orientations générales pour la Communauté : coordination des politiques monétaires et promotion de l'usage de l'Écu. La troisième étape, qui pourrait au mieux entrer en vigueur en 1997 et, au plus tard, en 1999, voit l'adoption de la monnaie commune et le transfert intégral de souveraineté monétaire au SEBC (Système européen de banques centrales) qui devient la banque centrale de l'Europe. Celui-ci formule et applique la politique monétaire commune et notamment la politique de change vis-à-vis des devises tierces telle qu'elle est définie par le Conseil européen. Le financement monétaire des déficits publics nationaux étant dès lors proscrit, le domaine de l'exercice budgétaire, autre élément essentiel de la souveraineté nationale, est également en cause.

Politique industrielle et espace industriel européen

L'industrie (hors énergie et construction) représente aujourd'hui entre 15 % du PIB (Grèce) et 30 % du PIB (Allemagne). Il est intéressant de noter que, dans les pays du Sud (Italie, Espagne et Portugal), le poids de l'industrie dans le PIB est supérieur à celui de la moyenne communautaire (la Grèce fait, à cet égard, figure d'exception).

Globalement, le poids de l'industrie est limité au tiers du PIB mais le commerce de produits manufacturés est au cœur des échanges intracommunautaires. Sachant que la part des échanges de services est relativement stable (20 % du total des échanges), la plupart des échanges portent sur des produits manufacturés, qui représentent près de 70 % de l'ensemble des échanges intracommunautaires [40].

La production industrielle dans la CEE a fortement décliné après le premier choc pétrolier et jusqu'en 1985, pour se redresser vigoureusement jusqu'en 1989. Toutefois, l'Europe industrielle est fragmentée et, à défaut de politique, on ne peut que souhaiter la constitution d'un « espace industriel européen ».

A cet égard, la création d'un véritable Marché commun constitue encore l'un des objectifs fondamentaux à atteindre. En effet, si la réalisation de l'union douanière a permis d'abolir les droits de douane, elle n'a pas pour autant contraint à l'élimination des restrictions quantitatives aux échanges entre pays membres : de nombreuses entraves affectent à la fois la crédibilité et l'efficacité du Marché commun.

En matière de normes, dans certains domaines les nécessités industrielles ont depuis longtemps conduit à l'élaboration de référentiels communément acceptés, soit sous forme de normes internationales, soit sous forme de documents nationaux qui ont atteint une stature internationale. Dans d'autres domaines, les marchés des États membres risquent de rester largement cloisonnés, principalement du fait de l'existence de normes ou règles techniques de qualification des produits différentes : il n'y a pas nécessairement incompatibilité, mais en l'absence de pression importante pour développer les échanges transfrontaliers, cette différence suffit à pérenniser la séparation des marchés, surtout si elle se traduit au niveau des textes réglementaires prévoyant l'homologation des produits ou l'exercice de contrôles plus ou moins systématiques (cas du bâtiment, des machines ou des appareils à pression notamment). Dans d'autres domaines encore, comme celui des technologies de l'information, les référentiels communs n'existent guère alors même que les normes de compatibilité sont essentielles au développement économique.

La normalisation doit être en mesure d'apporter des solutions au fur et à mesure du développement technologique, ce qui implique une forte cohésion et une coordination bien assurée des travaux préparatoires à la normalisation. Le principe de la reconnaissance mutuelle des réglementations et des législations nationales, qui permet qu'un produit légalement fabriqué et commercialisé dans un pays membre soit librement vendu dans toute la CEE, est directement applicable aux produits de l'industrie, et simultanément étendu aux produits et services bancaires, financiers, d'assurance et de transport. L'ouverture des commandes publiques de travaux et de fournitures à la concurrence européenne est ici conçue comme un moyen privilégié d'accélérer le processus de communautarisation du marché.

La suppression des entraves fiscales aux échanges et l'adoption uniforme du système de la TVA comme mode essentiel de taxation indirecte s'accompagnent toutefois d'une grande divergence des taux et des assiettes d'imposition qui contribue à la distorsion des prix entre États membres. Le rapprochement des taux d'imposition (+ ou − 2,5 % autour de deux normes communes) et la perception de la taxe au point de vente doivent permettre de limiter les incidences néfastes des disparités fiscales.

Le traité instituant la Communauté européenne interdit les accords ou autres pratiques qui faussent le jeu de la concurrence ou qui sont susceptibles d'affecter le commerce entre États membres. La fixation de prix en commun par des concurrents, les accords de répartition des marchés ou de contingentement de la production, ou encore les clauses de ventes liées sont des exemples d'activités interdites de ce genre. L'acquisition d'actions dans des sociétés concurrentes et les autres accords aboutissant à des concentrations économiques (soit entre concurrents directs, soit entre fabricants et distributeurs de leurs produits) peuvent également relever du champ d'application du traité. Il est toutefois indéniable que la préparation du Grand Marché intérieur a conduit à une multiplication des fusions et des acquisitions au cours des dernières années (tableau XVIII).

La Communauté et ses États membres doivent affronter des mutations structurelles indispensables pour l'appareil de production. Dans le contexte des problèmes de la restructuration industrielle, la Communauté doit poursuivre une politique ayant deux objectifs : tout d'abord, il s'agit d'engager des actions directes pour combattre la crise dans les principaux secteurs industriels de la Communauté. La Commission a établi un certain nombre de critères auxquels doivent répondre ces actions. Ces critères visent notamment à éviter toute distorsion de concurrence, à permettre la restructuration des secteurs concernés dans un délai déterminé tout en la coordonnant et en jugeant de sa cohérence, et ce afin de créer, de façon sélective, les conditions préalables pour assurer la promotion des secteurs où l'industrie européenne peut être compétitive par rapport à d'autres pays avancés ou à des pays nouvellement industrialisés. Encore faut-il distinguer entre la protection des secteurs concurrencés (automo-

TABLEAU XVIII. — ÉVOLUTION DES FUSIONS
DANS LA COMMUNAUTÉ (1984-1988)

La tableau suivant illustre l'évolution récente du nombre de fusions et d'acquisitions de participations majoritaires dans la Communauté (y compris les opérations internationales entre entreprises de la Communauté et entreprises de pays tiers)[1].

Secteur[2]	Total des fusions et des acquisitions de participations majoritaires intéressant au moins une des 1 000 plus grandes entreprises de la Communauté			Fusions et acquisitions de participations majoritaires dans lesquelles le chiffre d'affaires cumulé des entreprises intéressées a dépassé 1 000 millions d'Écus		
	1985-1986	1986-1987	1987-1988	1985-1986	1986-1987	1987-1988
1. Alim.	34	52	51	17	35	40
2. Chimie	57	71	85	33	51	57
3. Élec.	13	41	36	9	12	23
4. Méca.	29	31	38	17	20	26
5. Ord.	1	2	3	0	1	3
6. Méta.	17	19	40	4	11	32
7. Trans.	10	21	15	3	11	14
8. Pap.	27	25	34	5	8	18
9. Extra.	10	9	12	7	4	9
10. Text.	9	6	14	2	2	4
11. Cons.	14	19	33	8	11	29
12. Autres	6	7	22	3	5	13
Total	227	303	383	108	171	268

1. *Source*: chiffres recueillis par la Commission dans la presse spécialisée.
2. *Clés*: Alim. : denrées alimentaires et boissons. Chimie : produits chimiques, fibres, verre, céramique, caoutchouc. Élec. : électricité et électronique, machines de bureau. Méca. : mécanique et instruments, machines-outils. Ord. : ordinateurs et équipement de traitement de l'information (en 1983-1984 comprenait également l'ingénierie mécanique). Méta. : production et fabrication préliminaire des métaux, produits métalliques. Trans. : véhicules et équipements de transport. Pap. : bois, mobilier et papier. Extra. : industries extractives. Text. : textiles, habillement, cuir et chaussure. Cons. : construction. Autres : autres industries manufacturières.

bile, textile-habillement, chimie-pharmacie) et l'aide à la restructuration des secteurs en difficulté (chantiers navals, sidérurgie).

En second lieu, la stimulation de « l'européanisation » dans le domaine de la recherche, de l'innovation et des structures industrielles constitue l'un des éléments importants de cette stratégie industrielle européenne.

Le parachèvement du Marché intérieur et le renforcement des bases scientifiques et technologiques de l'industrie sont deux objectifs complémentaires.

La balance commerciale européenne des nouvelles technologies, excédentaire en 1975, est déficitaire en 1990. L'exemple de l'industrie informatique est tout à fait révélateur des carences européennes : le taux de couverture du marché européen est aujourd'hui globalement de 71 %, mais il n'est que de 17 % vis-à-vis des États-Unis et de 4 % vis-à-vis du Japon.

L'exemple de l'industrie électronique européenne est tout à fait révélateur des carences accumulées. Celle-ci, qui assurait 26 % de la production mondiale en 1980, n'en assure plus que 22 % en 1989. Le taux de couverture des importations vis-à-vis des États-Unis est de 32 %, il est de 5 % vis-à-vis du Japon. En revanche, l'industrie pharmaceutique et l'industrie chimique sont les seuls secteurs de haute technologie dans lesquels la CEE est très performante.

Le secteur des télécommunications est le principal investisseur potentiel en nouvelles technologies de l'information. Ce secteur déficitaire vis-à-vis de l'extérieur, est handicapé par le cloisonnement des marchés nationaux, le manque de cohésion des stratégies de firmes et la protection des marchés publics nationaux. *Le Livre vert sur les télécommunications* (1987) met l'accent sur la réalisation d'un vaste marché commun comme moyen privilégié de renforcer la compétitivité de l'industrie communautaire.

La segmentation des efforts de recherche-développement en Europe et le cloisonnement relatif des marchés nationaux entravant les perspectives de réalisation d'économies d'échelle appréciables pour les investisseurs sont autant d'explications de l'ensemble des difficultés industrielles.

Les efforts nationaux de recherche et de développement technologique sont très inégalement distribués en Europe (tableau XIX).

Si, dans l'ensemble et rapporté au PIB, l'effort moyen est comparable à celui du Japon ou des États-Unis, le fossé est grand entre les pays dont l'industrie manufacturière est for-

TABLEAU XIX. — DÉPENSES INTÉRIEURES DE R & D EN %
DE LA DÉPENSE INTÉRIEURE BRUTE : LE PALMARÈS EUROPÉEN

	1987	
RFA	2,8	
Royaume-Uni	2,3	
France	2,3	
Pays-Bas	2,3	
Belgique	1,6	
Danemark	1,4	
Italie	1,3	(1988)
Irlande	1,0	(1988)
Espagne	0,7	(1988)
Portugal	0,4	
Grèce	0,3	

Source : OCDE.

tement intensive en recherche (Allemagne, Royaume-Uni, France, Pays-Bas) et l'effort des petites économies de la Communauté qui ne disposent pas d'un secteur manufacturier réellement consistant (Irlande, Grèce, Portugal), mais dont la croissance des dépenses de recherche est pourtant la plus forte au cours des dernières années. Il y a peut-être là le début d'un effet de rattrapage.

En termes de valorisation de la recherche, les dépôts de brevets corroborent l'inégalité des efforts : ainsi, en 1987, lorsque la France dépose 12 085 brevets, le Royaume-Uni en dépose 21 123 et l'Allemagne, 32 211, alors que l'on en trouve 68 315 pour les États-Unis et 310 908 pour le Japon. Certes, les législations sont encore très différentes selon les pays et le dépôt de brevet n'a pas la même signification selon les industries. Toujours est-il que le constat de cette situation a conduit les pouvoirs publics à mettre en place une coopération active dans le domaine de la science et de la technologie.

La recherche communautaire a plusieurs objectifs. D'une manière générale, elle vise à apporter un « plus » par rapport à un simple regroupement des moyens. Celui-ci tient dans le partage des risques techniques et financiers, le partage des coûts, l'obtention d'une masse critique en termes économiques ou de ressources humaines. Autrement dit, la recherche financée par la Communauté doit être d'une envergure telle que les États membres ne pourraient pas seuls y consacrer les ressources nécessaires. En outre, à cause du partage des responsabilités, on doit attendre de la recherche menée en commun une amélioration notable de l'efficacité. Le concept de valeur ajoutée propre à l'approche européenne de la recherche s'est concrétisé dans l'élaboration de programmes et l'établissement de normes techniques.

L'Acte unique met en place un dispositif à deux volets : adoption à l'unanimité des programmes-cadres pluriannuels, adoption à la majorité qualifiée des programmes spécifiques (voir encadré pour ces derniers). L'action communautaire dans le domaine de la recherche et de la technologie comporte actuellement trois modalités différentes : il s'agit tout d'abord de la recherche spécifiquement communautaire effectuée dans le cadre du Centre commun de recherche (Ispra, Karlsruhe, Petten, Geel). Il s'agit ensuite de la recherche « à frais partagés », la plus importante, dont la Communauté finance 50 % des travaux (centres de recherche, universités, industrie) et qui regroupe la plupart des programmes spécifiques. Il s'agit enfin d'actions concertées dont la Communauté assure la coordination.

Le programme-cadre vise à la création d'un véritable espace scientifique et technique européen : l'idée est de mener à l'échelle communautaire les recherches concernant des domaines où les problèmes se posent à ce niveau (environnement, santé) ou bien exigent des moyens financiers à ce niveau (fusion thermonucléaire contrôlée). Huit grandes lignes d'action sont ainsi identifiées : qualité de la vie, technologies de l'information et télécommunications, technologies industrielles, énergie, ressources biologiques, aide au développement, ressources marines, coopération scientifique et technique européenne.

L'examen des programmes spécifiques s'inscrivant dans le troisième programme-cadre (1990-1994) montre une évolution dans les priorités communautaires. La part des moyens affectés au domaine de l'environnement, à la biotechnologie et à la recherche agro-industrielle ainsi qu'à la mobilité des chercheurs s'accroît significativement. En termes absolus, les technologies de l'information et les technologies industrielles conservent toutefois toute leur importance.

QUELQUES PROGRAMMES SPÉCIFIQUES

1. Qualité de la vie
— Programme de coordination de la recherche médicale (cancer, sida).
— Programme de médecine prédictive et des nouvelles thérapies.
— Radio-protection.
— Médecine professionnelle.
Environnement :
— STEP : programme général de recherche (1989-1992).
— EPOCH : climatologie et risques naturels.

2. Technologies de l'information et télécommunications
— ESPRIT : programme stratégique européen pour la recherche et le développement dans les technologies de l'information ; microélectronique des circuits à haute intégration, techniques du logiciel, traitement avancé de l'information, bureautique, production assistée par ordinateur (1984-1993).
— RACE : recherche et développement dans les technologies avancées de l'information pour l'Europe ; assurer la cohérence des différents systèmes et services de télécommunication (1987-1991).
— DELTA : enseignement par ordinateur.
— DIME : monétique européenne.
— DRIVE : aide informatique à la circulation routière.
— AIM : aide informatique médicale.

3. Technologies industrielles
— BRITE : recherche fondamentale dans les technologies industrielles pour l'Europe ; utilisation des technologies avancées (laser, conception assistée par ordinateur, modélisation) dans l'industrie manufacturière (automobile, aéronautique, textile, chimie...) (1985-1991).
— EURAM : doter l'Europe de la capacité de mettre au point et de produire les nouveaux matériaux (alliages, céramiques techniques, matériaux composites...) pour l'automobile, la construction, l'aéronautique...

4. Énergie
— Énergie nucléaire de fission : sécurité des réacteurs, gestion et stockage des déchets, déclassement des centrales.
— JET : énergie nucléaire de fusion ; démonstration de la faisabilité scientifique de la fusion.
— NET : démonstration de la faisabilité technologique de la fusion (1987-1991).
— JOULE : développement des énergies non nucléaires (1989-1992).

5. Ressources biologiques
— Programme de biotechnologie : applications des biotechnologies dans l'agriculture et l'agro-industrie (1985-1989).
— Programme d'application des biotechnologies à l'agro-industrie (agro-alimentaire, agro-chimie, agro-énergie).
— BRIDGE : recherche et développement dans le domaine de la biotechnologie (1990-1994).   →

— BIOTECH : approches moléculaires et cellulaires des organismes, écologie et biologie des populations.
— ECLAIR : recherche et développement agricole et agro-industriel fondés sur les biotechnologies (1988-1993).
— Génome humain (1990-1994).
— Biomédecine et santé (1990-1994).

6. *Aide au développement*
— Science et technique au service du développement : renforcement des capacités scientifiques des pays en développement dans les secteurs de l'agriculture et de la médecine tropicale.

7. *Ressources marines*
— MAST : connaissance du milieu océanique, exploration des fonds marins, pêche, aquaculture (1989-1992).

8. *Coopération scientifique et technique européenne*
— BRAIN : domaine de la neuro-informatique.
— FAST : programme de prospective et d'évaluation de l'évolution future de la science et de la technologie, de leur impact et de leurs usages sociaux.
— EUROTRA : recherche dans le domaine de la traduction automatique.

9. *Environnement du programme-cadre (1987-1991)*
— ERASMUS : mobilité des étudiants.
— COMETT : échanges université/industries.
— SPRINT : innovation et transferts de technologies.
— NETT : transferts de technologie dans le domaine de la protection de l'environnement.
— STAR : transferts de technologie dans le domaine des télécommunications.
— VALOREN : transferts de technologie dans le domaine de l'énergie.
— EUREKA : initiative de développement de biens et services demandés par le marché ; principaux domaines : optique électronique, matériaux nouveaux, lasers de grande puissance, microélectronique rapide et miniaturisée, biotechnologies de l'espace ; programme de coopération industrielle à « géométrie variable ».
— AIRBUS/ARIANESPACE/APOLLO/EUTELSAT/EUMETSAT : initiatives de développement commercial dans les domaines de l'aéronautique aérospatiale.
— EUCLID : recherche militaire européenne.

Les relations extérieures de la CEE

• *Les relations de coopération.* — La Communauté et les États-Unis ont intensifié et étendu leurs relations au cours des deux dernières années : approfondissement du dialogue portant sur les thèmes désormais classiques du désaccord, mais aussi recherche de nouveaux domaines d'intérêt commun. Cette volonté a culminé à la fin de l'année 1990, par l'adoption d'une déclaration commune témoignant de l'importance des relations transatlantiques pour la stabilité politique et le progrès économique dans le monde. Toutefois, les questions commerciales continuent de figurer à l'ordre du jour des relations entre la Communauté et les États-Unis, et principalement celles qui sont l'objet des discussions au sein du GATT, dans le cadre de l'Uruguay Round. Si les États-Unis reprochent essentiellement à l'Europe le protection nisme agricole inhérent à la mise en œuvre de la PAC, ils maintiennent en revanche, dans l'industrie et les services, certains types de barrières commerciales qu'ils condamnent par ailleurs et qui se traduisent par une fragmentation du marché américain (dans les domaines tels que les normes, les services financiers ou les activités des professions libérales) qui handicape sérieusement les exportateurs de la Communauté.

Le développement des relations avec le Japon traduit, d'une part, le rôle de plus en plus significatif joué par ce pays au plan économique, financier et politique et, d'autre part, la place plus importante de la Communauté sur la scène internationale ainsi que le rapprochement de l'échéance de 1993. Outre la nécessité d'un renforcement de la coopération d'intérêt commun dans les domaines scientifiques et technologiques, les progrès essentiels à réaliser concernent l'ouverture du marché japonais aux produits et aux investissements européens, compte tenu de la persistance et de l'importance du déficit de la balance commerciale de la Communauté avec le Japon. C'est en fait l'application concrète du principe de réciprocité des avantages, qui est au cœur de l'intégration du marché européen dans le marché mondial des biens, des services et des capitaux, qui est ici en cause.

Les négociations entre la Communauté et les pays de l'AELE ont abouti, en 1991, à la création d'un espace économique européen (EEE) au 1er janvier 1993, garantissant la libre circulation des biens, des services, des personnes et des capitaux, ainsi qu'au renforcement de la coopération dans le domaine des politiques d'accompagnement et à la diminution des disparités économiques et sociales. L'Europe des 19 (380 millions d'habitants et 40 % du commerce mondial) apparaît, pour les pays de l'AELE, comme une étape intermédiaire vers une intégration définitive à la Communauté européenne à laquelle certains d'entre eux sont déjà candidats (Suède, Autriche notamment). Dans l'attente, l'EEE constitue la plus vaste zone de libre-échange et de coopération régionale du monde. La question est dès lors de comprendre comment la formation de blocs régionaux de ce type est compatible avec les négociations multilatérales (Uruguay Round actuellement) concernant l'élimination progressive de toutes les formes d'obstacles aux échanges internationaux : dans la mesure où la motivation est de créer des économies d'échelle, de favoriser la concurrence, la croissance et l'emploi, celle-ci est parfaitement légitime. Mais la réduction des entraves doit être totale et ces zones ne doivent pas exiger de barrières à l'égard du monde extérieur : c'est là, précisément, que réside le risque ; il y a toujours le danger que les accords régionaux élaborent une série d'exceptions au libre commerce dans les secteurs sensibles (automobile, textile, agriculture notamment), autrement dit qu'ils organisent le commerce mondial « à la carte ».

Du fait des réformes politiques et économiques adoptées dans les pays d'Europe centrale et orientale, les relations et la coopération de la Communauté avec ces pays se sont considérablement intensifiées depuis 1990. Ainsi, l'aide à la reconstruction économique de la Pologne et de la Hongrie, dès 1990 (opération PHARE), a été ultérieurement étendue à la Tchécoslovaquie, à la Bulgarie et à la Yougoslavie. Parallèlement à l'aide économique visant à aider ces pays à faire face à leurs besoins de financement, le rapprochement doit se traduire par le passage à un nouveau type de relations, au fur et à mesure que ceux-ci adoptent les nécessaires réformes politiques et économiques. C'est l'objectif des « accords européens », qui visent notamment l'établissement progressif d'une zone de libre-échange et l'intensification de la coopération économique, scientifique et technique. Pour ce qui concerne l'ex-Union soviétique, il a été décidé la mise à disposition d'une aide alimentaire et la mise en œuvre d'une assistance technique susceptible de contribuer au redressement de cet ensemble [35].

• *Les relations d'intégration :* les signataires du traité de Rome forment, depuis l'adhésion de l'Espagne et du Portugal, un ensemble dont l'hétérogénéité s'est accrue. La différence des niveaux de développement constitue un problème qui a été résolu par l'instauration d'une période de transition assurant une protection partielle réciproque. Sa durée est fixée à sept ans pour les échanges industriels et à dix ans pour une grande partie des échanges de produits agricoles. Pour ces dernières productions, l'élargissement a pour effet une augmentation sensible du degré d'auto-approvisionnement de la CEE pour certains produits, mais il est assorti d'un regain de concurrence pour d'autres produits et de l'augmentation des dépenses agricoles de garantie.

Pour l'industrie, l'élargissement du marché CEE a pour contrepartie un regain de concurrence dans les secteurs sur lesquels elle est traditionnellement spécialisée (textile, sidérurgie...). S'il faut ajouter à cela les questions de la pêche et celle relative à l'application du principe de la libre circulation des travailleurs, il est permis de penser que l'élargissement doit être clairement accepté, dans toutes ses incidences, si l'on veut qu'il soit un facteur de dynamisme et non de régression de l'ensemble communautaire. Si l'élargissement pose le problème des disparités de richesse entre régions septentrionales et méridionales, il déclenche aussi des convoitises puisqu'il renforce la place de la CEE comme première puissance commerciale du monde.

L'accord d'adhésion de mars 1985 est assorti d'un volet financier dont l'objectif est double : faire en sorte que le bilan, pendant les années de la transition, soit neutre pour l'Espagne (contribution budgétaire nette nulle) et qu'il soit positif pour le Portugal (solde budgétaire positif).

En dépit des difficultés que rencontre la construction de l'intégration communautaire, d'autres pays frappent à la porte de la CEE : la Turquie, de longue date, le Maroc plus récemment mais aussi la Suède, la Norvège et l'Autriche. L'ordre du jour est toutefois le renforcement de la cohésion interne de la CEE et non son extension.

Conclusion

Face à l'évolution de la situation internationale, marquée par la fin de l'antagonisme Est-Ouest et l'unification de l'Allemagne, mais aussi par les nouvelles incertitudes suscitées par la crise du Golfe, la Communauté n'a voulu ni limiter ses horizons ni ignorer ses responsabilités. Elle a tiré profit de son dynamisme interne — réalisation de l'Acte unique, perspective du Grand Marché intérieur, première phase de l'Union économique et monétaire — pour répondre positivement à la « demande d'Europe » formulée dans le monde entier. Le succès de la conférence de Maastricht a concrétisé l'élan vers l'Union européenne, tant politique qu'économique et monétaire, suscité par la mobilisation de l'opinion publique depuis quelques années.

Si la Communauté a témoigné vis-à-vis de l'extérieur de la solidarité qui lui incombait en raison de sa réussite, elle a su procéder au renforcement interne indispensable pour éviter sa dilution et demeurer le pôle d'attraction qu'elle est devenue. Ainsi les États membres, face aux principaux bouleversements internationaux, ont-ils été amenés progressivement à développer une amorce de politique étrangère commune, anticipant une évolution prévisible dans le cadre de la révision du traité de Rome. Le succès de l'entreprise a donné plus de crédibilité au projet d'union politique en faisant de la politique étrangère commune le cœur de celle-ci. La reconnaissance par les États membres d'intérêts communs essentiels a exigé le saut qualitatif nécessaire sur le plan institutionnel, qui rapproche la Communauté de l'union politique et dont le sommet de Maastricht constitue désormais le fondement. Les progrès vers l'union économique et monétaire en dépendent étroitement. Même si le terme de fédéralisme demeure encore absent aujourd'hui des textes engageant les États membres dans l'union, la force des réformes de structures y conduit tôt ou tard, d'une manière ou d'une autre : « L'histoire s'est accélérée, mais la Communauté aussi a accéléré le pas », déclarait récemment le président de la Commission devant le Parlement européen.

Bibliographie

Le nombre de publications sur l'Europe est tel que nous préférons orienter le lecteur vers une sélection restreinte d'ouvrages importants. La centralisation de la documentation est notamment effectuée par le Bureau d'information des Communautés européennes, La Grande Arche, 3e étage, aile Nord, 92044 Paris-La Défense Cedex. Tél. : 40 90 52 47.

Chapitre I

[1] VOYENNE B., *Petite Histoire de l'idée européenne*, Éditions de la Campagne européenne de la jeunesse, Bureau d'études et d'information, Paris, 1952.
[2] DENIAU J.-F., *L'Europe interdite*, Éd. du Seuil, Paris, 1977.
[3] DREYFUS S., *Droit des relations internationales*, Éd. Cujas, Paris, 1987.
[4] ISAAC G., *Droit communautaire général*, Masson, Paris, 1989.
[5] BOULOUIS J., *Droit institutionnel des Communautés européennes*, Éd. Montchrestien, Paris, 1991.
[6] NOËL E., *Les Institutions de la Communauté européenne*, OPOCE, Luxembourg, 1988.
[7] LOUIS V., *L'Ordre juridique communautaire*, coll. « Perspectives européennes », OPOCE, Luxembourg, 1986.
[8] ALBERT M., *Un pari pour l'Europe*, Éd. du Seuil, Paris, 1983.
[9] « Réussir l'Acte unique, une nouvelle frontière pour l'Europe », suppl. *Bulletin des Communautés européennes*, OPOCE, Luxembourg, 1987/1.
[10] DRUESNE G., *Droit matériel et politiques de la Communauté européenne*, PUF, Paris, 1991.
[11] GAUTRON J.-Cl., *Droit européen*, Mémentos Dalloz, Paris, 1991.
[12] Commission des Communautés européennes, *Livre blanc sur l'achèvement du Marché intérieur*, Doc. Com. (85) final, Bruxelles, 1985.

Chapitre II

[13] STRASSER D., *Les Finances de l'Europe*, LGDJ, Paris, 1990.
[14] *1992 - Le Défi*, préface de J. DELORS, Flammarion, Paris, 1988.
[15] « Résultats du Conseil européen de Bruxelles », *Bulletin des Communautés européennes*, OPOCE, Luxembourg, 1988/2.

Chapitre III

[16] Mathis J., Dehove M., *Le Commerce international*, Dunod, Paris, 1987.

[17] Mathis J., Mazier J., *La Compétitivité industrielle*, Dunod, Paris, 1988.

[18] Lafay G., Unal-Kesenci D., *L'intégration européenne*, Economica, Paris, 1990.

[19] Commission des Communautés européennes, *Marché unique, monnaie unique, économie européenne*, OPOCE, Luxembourg, 1990.

[20] « Le marché européen, ses barrières et les méthodes d'évaluation », *Économie européenne*, OPOCE, Luxembourg, mars 1988.

[21] CEPII, *Industrie mondiale, la compétitivité à tout prix*, Economica, Paris, 1986.

[22] Barou Y., Keizer B., *Les Grandes Économies*, Seuil, Paris, 1984.

[23] CEPII, *L'Écu et la vieille dame*, Economica, Paris, 1986.

[24] Laurence R., Schultze C. (éds), *Barriers to European Growth: a Transatlantic View*, The Brooking Institution, Washington DC, 1987.

[25] Commission des Communautés européennes, *L'Emploi en Europe*, OPOCE, Bruxelles, 1990.

Chapitre IV

[26] *La Situation de l'agriculture dans la Communauté*, rapports annuels, OPOCE, Luxembourg.

[27] Van Ypersele J., *Le Système monétaire européen*, OPOCE, Luxembourg, 1988 (3e édition).

[28] Padoa-Schioppa T., *Europe, monnaie et politique économique*, OPOCE, Luxembourg, 1984.

[29] Padoa-Schioppa T., *Efficacité, stabilité, équité*, Economica, Paris, 1986.

[30] *Vers l'Union économique et monétaire*, Rapport du Comité Delors, Commission des Communautés européennes, Luxembourg, 1989.

[31] « La création d'un espace financier européen », *Économie européenne*, n° 36, Commission des Communautés européennes, OPOCE, Luxembourg, mai 1988.

[32] *Europe sociale, la dimension sociale du marché intérieur*, OPOCE, Luxembourg, 1988.

[33] « Dix ans de Lomé : bilan de la coopération CEE/ACP 1976-1985 », *Europe information-développement*, Bruxelles, 1986.

[34] Maillet P., *La Stratégie industrielle de la Communauté européenne*, OPOCE, Luxembourg, 1982.

[35] Gautron J.-Cl., *Les Relations Communauté européenne, Europe de l'Est*, Economica, Paris, 1991.

[36] Patat J.-P., *L'Europe monétaire*, La Découverte, coll. « Repères », Paris, 1991.

[37] Lelart M., *Le Système monétaire international*, La Découverte, coll. « Repères », Paris, 1991.

[38] Plihon D., *Les Taux de change*, La Découverte, coll. « Repères », Paris, 1991.

[39] Commission des Communautés européennes, *Les Régions dans les années quatre-vingt-dix*, OPOCE, Luxembourg, 1991.

[40] Lebas C., *L'Europe industrielle*, Ellipses, coll. « Profils économiques », n° 24, 1991.

Table

LA COLLECTION "REPÈRES"

LA COLLECTION "REPÈRES"
(suite)

La collection Repères *est animée par Jean-Paul Piriou, avec la collaboration de Hervé Hamon, Bernard Colasse, Dominique Merllié et Christophe Prochasson.*

Composition Facompo, Lisieux
Achevé d'imprimer en avril 1992
sur les presses de l'imprimerie Carlo Descamps,
Dépôt légal: avril 1992
Numéro d'imprimeur: 7404
Cinquième tirage: 18 000 à 22 000 exemplaires
ISBN 2-7071-1564-9